Les hommes viennent de Mars, les femmes viennent de Vénus

John Gray

LES HOMMES VIENNENT DE MARS, LES FEMMES VIENNENT DE VÉNUS

Connaître nos différences pour mieux nous comprendre

Traduit de l'anglais (États-Unis)
par Anne Lavédrine

Version condensée établie par Paul Dewandre, fondateur des ateliers Mars et Vénus en France

DU MÊME AUTEUR
AUX ÉDITIONS MICHEL LAFON

version originale

Les hommes viennent de Mars,
les femmes viennent de Vénus
Mars et Vénus se rencontrent
Mars et Vénus en amour
Mars et Vénus refont leur vie
Les enfants viennent du paradis
Mars et Vénus : 365 jours d'amour
Mars et Vénus : ensemble pour toujours
Mars et Vénus au travail
Mars et Vénus : petits miracles au quotidien

version condensée

Mars et Vénus se rencontrent
Mars et Vénus sous la couette (ex « *en amour* »)
Mars et Vénus refont leur vie

Titre original : *Men are from Mars, Women are from Venus*
Publié par Harper-Collins, New York, NY

7-13, bd Paul-Émile-Victor – Île de la Jatte
92521 Neuilly-sur-Seine Cedex

Je dédie ce livre à ma femme, Bonnie Gray,
avec mon amour et ma plus profonde affection.
Son amour, sa vulnérabilité, sa sagesse et sa force
m'ont inspiré pour faire de mon mieux
et pour communiquer aux autres
ce que nous avons appris ensemble.

Introduction

Une semaine après la naissance de notre fille Lauren, ma femme Bonnie et moi étions complètement épuisés. Chaque nuit le bébé nous réveillait. Bonnie, qui avait subi une déchirure du périnée au cours de l'accouchement, devait prendre des analgésiques et avait du mal à marcher. J'ai passé un peu de temps auprès d'elle pour la soutenir puis, au bout de cinq jours, je suis retourné au bureau car elle semblait aller mieux.

Pendant mon absence, ses comprimés contre la douleur vinrent à manquer. Au lieu de m'appeler au bureau, elle demanda à l'un de mes frères, qui était venu lui rendre visite, de lui en acheter d'autres. Mais mon frère ne les lui apporta jamais. Elle dut donc s'occuper du bébé toute la journée sans aucune possibilité de soulager ses douleurs. Quand je suis rentré, ne sachant rien de sa pénible journée, je vis qu'elle était furieuse, mais j'interprétai mal sa détresse et en conclus qu'elle me reprochait de l'avoir laissée seule.

Elle me dit : « J'ai souffert toute la journée. Je n'avais plus de médicaments et je suis restée clouée au lit sans que personne ne s'inquiète de mon sort !

– Pourquoi ne m'as-tu pas appelé ? lui ai-je répondu, sur la défensive.

– J'ai chargé ton frère de m'en racheter, mais il n'est pas venu de la journée. Qu'est-ce que tu voulais que je

fasse ? Je peux à peine marcher. Je me sens complètement abandonnée ! » me rétorqua-t-elle.

C'est alors que j'ai explosé. J'étais moi aussi à bout de patience, ce jour-là, et je ne comprenais pas qu'elle ne m'ait pas appelé. Je jugeais ses reproches injustes puisque je n'avais pas été mis au courant de la situation. Et après quelques mots acerbes, je me suis dirigé vers la porte. J'étais fatigué, irritable, et j'en avais assez ! À ce moment-là, nous avions tous les deux atteint nos limites.

C'est alors que se produisit quelque chose qui devait changer toute ma vie.

Bonnie me dit : « Arrête ! Ne me quitte pas au moment où j'ai le plus besoin de toi. J'ai mal et je n'ai pas dormi depuis plusieurs jours. Je t'en prie, écoute-moi. »

Je m'arrêtai un instant pour l'écouter.

Elle me dit : « John Gray, tu n'es qu'un amant des beaux jours ! Tant que je suis ta Bonnie aimable et gentille, tu restes à mes côtés, mais dès que je vais moins bien, tu pars en claquant la porte ! »

Elle s'arrêta, les larmes aux yeux. D'une voix radoucie, elle ajouta : « En ce moment, je souffre. Je n'ai rien à donner. C'est maintenant que j'ai le plus besoin de toi. Je t'en prie, viens ici et prends-moi dans tes bras. Je ne te demande pas de parler. J'ai seulement besoin de sentir tes bras autour de moi. S'il te plaît, ne t'en va pas. »

Je m'approchai et je l'enlaçai sans rien dire. Elle pleura contre mon épaule. Après quelques minutes, elle me remercia d'être resté et me répéta qu'elle avait seulement besoin que je la serre contre moi.

C'est à cet instant que j'ai commencé à comprendre la véritable signification du mot amour – amour inconditionnel. Moi qui avais toujours cru savoir aimer, je n'avais été pour Bonnie qu'un amant des beaux jours. Elle avait raison. Tant qu'elle était heureuse et souriante, je l'aimais en retour. Mais dès que je la sentais malheureuse ou contrariée, je le prenais comme un reproche et je m'énervais, ou alors je m'éloignais d'elle.

Ce jour-là, pour la première fois, je ne partis pas. Je restai avec elle et ce fut fantastique. Je réussis à lui donner de moi-même au moment où elle en avait vraiment besoin. Je sentis que c'était là le véritable amour. Penser à l'autre. Avoir confiance en l'amour commun. Être là pour l'autre. Je m'émerveillai qu'il se révèle si facile pour moi de soutenir ma femme dès lors qu'elle m'en indiquait le moyen.

Comment avais-je pu être aveugle si longtemps ? Bonnie avait seulement besoin que j'aille vers elle et que je la prenne dans mes bras. Une autre femme aurait instinctivement deviné ce besoin, mais en tant qu'homme je n'avais aucune idée de l'importance qu'elle accordait au fait d'être seulement enlacée et écoutée. Découvrir cette différence fondamentale entre les sexes me dévoila du même coup un tout nouveau mode de communication avec mon épouse.

Je n'aurais jamais pensé que nos conflits puissent se résoudre aussi aisément.

Dans mes précédentes relations de couple, je m'étais montré dur et indifférent dans les moments difficiles, seulement parce que je ne savais pas quoi faire d'autre. Cette attitude avait fait de mon premier mariage une expérience pénible et douloureuse. Ma dispute avec Bonnie m'a révélé que je pouvais changer ma façon de réagir en situation de crise.

Cet événement m'est resté à l'esprit. En apprenant de manière aussi détaillée que pratique en quoi les hommes et les femmes diffèrent, j'ai peu à peu senti qu'il n'était pas inéluctable qu'un mariage se transforme en un combat de tous les instants. En prenant conscience de nos différences, Bonnie et moi avons été capables d'améliorer extraordinairement notre communication et de nous aimer davantage encore.

En poursuivant la découverte de ces différences, nous avons découvert de nouveaux moyens d'améliorer notre couple. Nous avons acquis sur les relations humaines des notions que nos parents n'ont même jamais soupçonnées, et qu'ils ne nous ont donc jamais enseignées. Et quand j'ai partagé le fruit de nos recherches avec les patients qui me consultaient, leurs rapports de couple se sont à leur tour améliorés. Des milliers de personnes qui ont participé à mes séminaires ont vu leur relation se transformer radicalement du jour au lendemain.

Des années plus tard, des célibataires et des couples continuent à me faire part de résultats bénéfiques. Je reçois des photos de couples heureux entourés de leurs enfants, accompagnées de lettres me remerciant d'avoir sauvé leur mariage. Bien que ce soit leur amour qui ait réellement sauvé ce mariage, ils auraient inévitablement divorcé s'ils n'étaient pas parvenus à acquérir cette meilleure compréhension du sexe opposé.

Certes, nous sommes presque tous d'accord sur le fait que les hommes et les femmes sont différents, mais la plupart des gens ne savent toujours pas en quoi.

Les hommes viennent de Mars, les femmes viennent de Vénus est un guide des relations de couple. Un mot clé le ponctue : différence. Il révèle comment les hommes et les femmes diffèrent dans tous les domaines de leur vie. Car non seulement les hommes et les femmes communiquent différemment, mais ils pensent, ressentent, perçoivent, réagissent, se conduisent, aiment et apprécient différemment. Pour un peu, ils sembleraient venir de planètes différentes, tant leur langage et même leurs besoins diffèrent fondamentalement.

Admettre que son partenaire est aussi différent de soi qu'un être venu d'une autre planète rend plus facile de tenter de s'accommoder de ses spécificités et de se détendre, au lieu de résister ou d'essayer de le changer. On n'attend plus de lui l'impossible.

Le chemin qui mène à une relation amoureuse harmonieuse peut être, pourtant, parfois très chaotique.

La bonne volonté ne suffit pas

Tomber amoureux, c'est toujours magique. On a l'impression d'éprouver des sentiments éternels, un amour qui durera toujours. À cela s'ajoute la certitude aussi naïve qu'inexplicable d'être à l'abri des problèmes des autres couples ou de nos parents. Notre amour à nous ne risque pas de s'éteindre. Il était écrit que nous nous unirions et que nous vivrions heureux ensemble jusqu'à la fin de nos jours.

Mais à mesure que la magie des premiers temps fait place à la routine du quotidien, la distance s'installe : malgré le désir d'éternité et la bonne volonté, l'amour se flétrit peu à peu. Les problèmes se développent insidieusement et avec eux l'amertume, la communication se rompt, puis la méfiance gagne du terrain. Le rejet et la répression suivent... Et la magie de l'amour s'éteint.

Nous nous demandons alors : comment est-ce arrivé ? Pourquoi est-ce arrivé ? Et surtout : pourquoi à nous ?

À chaque instant, des millions d'individus sont à la recherche d'un partenaire pour satisfaire leur immense besoin d'amour. Chaque année, des millions de couples unissent leurs destinées puis se séparent parce qu'ils ont perdu cet amour en chemin. De ceux que l'amour soutient jusqu'au mariage, seulement 50 % restent mariés. Et on estime que la moitié de ces 50 % ne s'épanouissent guère dans leur vie de couple. Ces couples-là restent ensemble par loyauté ou par obligation, ou encore par peur de devoir recommencer de zéro une nouvelle relation.

Peu de personnes sont donc finalement capables de vivre dans la plénitude de leur amour. C'est pourtant possible. Le secret est d'apprendre à respecter ses différences.

Cette compréhension peut rendre la vie quotidienne bien plus facile. Elle permet d'éviter certains conflits, même si les problèmes sont, malgré tout, inévitables. Ceux-ci sont *généralement source de rancœur ou de rejet, mais on verra qu'ils offrent aussi des occasions d'approfondir l'intimité et d'accroître l'amour, l'attention et la confiance.*

En lisant ce livre, vous apprendrez des techniques pratiques pour résoudre positivement les problèmes.

Dans ce livre, il m'arrivera souvent de faire des généralisations sur les hommes et les femmes. Vous trouverez probablement certains commentaires plus vrais que d'autres. Après tout, nous sommes tous des individus uniques dotés d'une expérience unique. Parfois, dans mes séminaires, certains couples et célibataires avouent qu'ils se reconnaissent dans les exemples donnés, mais pour le sexe opposé. C'est-à-dire que l'homme se reconnaît dans les descriptions du comportement féminin et la femme dans celles du comportement masculin. C'est ce que j'appelle le renversement des rôles. S'il vous arrive de vivre un tel renversement de rôles, je vous rassure : c'est tout à fait normal.

Lorsque vous ne vous reconnaissez pas dans un comportement décrit dans ce livre, vous pouvez simplement le laisser de côté et passer à quelque chose qui vous touche davantage, ou alors pousser plus avant votre analyse. Beaucoup d'hommes nient une part de leur masculinité afin de devenir plus aimants, plus tendres. À l'inverse, certaines femmes nient leur côté féminin pour réussir dans un milieu professionnel qui valorise davantage les hommes. Si c'est votre cas, agir selon les suggestions et idées de ce livre vous permettra non seulement d'insuffler plus de passion dans votre couple, mais aussi d'apprendre à mieux équilibrer le versant masculin et le versant féminin de votre personnalité.

Il est important de relier ce que vous lirez à votre expérience propre et à votre bon sens. De nombreux exemples exprimeront de façon simple et concise des choses que vous aurez instinctivement perçues de longue date. Tout cela vous aidera à rester vous-même et à ne pas vous perdre dans vos relations de couple.

Dans ce livre, je ne traite pas directement des origines des différences. C'est là une question complexe appelant une foule de réponses, liées aux différences biologiques aussi bien qu'à l'influence parentale, à l'éducation, à la place de la naissance dans sa famille ou au conditionnement culturel inculqué par la société, les médias et l'histoire. (Toutes ces questions sont explorées en profondeur dans mon livre intitulé Les hommes, les femmes et leurs relations : faire la paix avec l'autre sexe.*)*

La lecture de ce livre peut être un bon complément à une démarche personnelle pour les gens qui ont à résoudre des problèmes importants.

Même des individus « normaux » ressentent parfois le besoin de recourir à des consultations ou à une thérapie dans une période particulièrement délicate. Je crois fermement aux bienfaits progressifs et déterminants que peuvent induire une thérapie individuelle ou de groupe et des conseils conjugaux.

Pourtant, j'ai très souvent entendu des personnes déclarer que cette nouvelle approche des relations de couple leur avait été plus profitable que de longues années de thérapie. Leur thérapie avait, en fait, créé une base pour leurs nouvelles connaissances, qui leur a permis de les mettre en pratique rapidement et avec succès dans leur vie de tous les jours.

Chacun peut tirer bénéfice des enseignements de ce livre.

Les personnes qui ont un passé familial difficile, qui n'ont pas eu l'exemple de relations harmonieuses dans le foyer dans lequel elles ont grandi trouveront dans ce livre l'image positive d'une relation amoureuse dont elles ont besoin. Et pour ceux qui ont eu la chance de grandir dans un foyer d'amour et de tendresse, les temps ont changé et une nouvelle approche des relations entre les sexes nous est tout de même nécessaire. Il est essentiel pour chacun de nous d'étudier des méthodes de communication nouvelles et saines.

Un grand nombre de participants aux séminaires m'ont déjà posé la question suivante : « Pourquoi ne m'a-t-on pas enseigné cela plus tôt ? »

Il n'est jamais trop tard pour mettre plus d'amour dans votre vie. Il vous suffit d'une nouvelle méthode pour le faire. Que vous suiviez ou non une thérapie, si vous voulez entretenir de meilleures relations avec le sexe opposé, ce livre est pour vous. C'est un plaisir pour moi de le partager avec vous.

Puissiez-vous gagner chaque jour en sagesse et en amour. Puissent le nombre des divorces diminuer et celui des mariages heureux augmenter. Nos enfants méritent un monde meilleur.

John GRAY
15 novembre 1991,
Mill Valley, Californie.

CHAPITRE 1

Les hommes viennent de Mars, les femmes viennent de Vénus

Imaginons qu'il y a très très longtemps, les hommes vivaient sur Mars et les femmes sur Vénus. Imaginons ces Martiens d'un côté et ces Vénusiennes de l'autre vivant selon leurs propres règles correspondant à leur manière naturelle de fonctionner.

LA VIE SUR MARS

Sur Mars, les valeurs primordiales sont le pouvoir, la compétence, l'efficacité et la réussite. Un Martien agit avant tout pour prouver sa valeur et affirmer sa compétence comme ses capacités.

Chaque homme mesure sa valeur personnelle en fonction de son aptitude à obtenir des résultats.

Il tire avant tout satisfaction de ses réalisations et de ses succès.

Sur Mars, tout reflète ces valeurs, même les vêtements. Les agents de police, les soldats, les hommes d'affaires, les scientifiques, les chauffeurs de taxi, les techniciens et les chefs cuisiniers portent tous un uniforme, ou du moins un couvre-chef symbolisant leur rôle et leur autorité.

En règle générale, les Martiens s'intéressent plus aux choses et aux objectifs qu'aux personnes et aux sentiments. Aujourd'hui encore, les hommes entre eux discutent de voitures puissantes, d'ordinateurs les plus rapides, de divers gadgets et autres innovations technologiques, et non de relations humaines, d'amour ou de psychologie. Ils s'attachent aux signes extérieurs leur permettant de montrer leur efficacité en obtenant des résultats et en réalisant leurs objectifs.

Il est extrêmement important pour un Martien d'atteindre les buts qu'il s'est fixés parce que cela lui permet de prouver sa valeur et d'être fier de lui. Pour en arriver là, il doit réussir par lui-même. Personne ne peut le faire à sa place. Les Martiens se flattent de pouvoir tout accomplir sans aide extérieure. Leur autonomie symbolise leur efficacité, leur pouvoir et leur habileté.

Cette caractéristique martienne explique la difficulté des hommes à se laisser dicter leur conduite : comme faire preuve de compétence est à leurs yeux une vertu cardinale, ils réagiront donc de manière ombrageuse aux conseils non sollicités.

Parce qu'il règle ses problèmes tout seul, un Martien les évoque rarement, à moins qu'il n'ait besoin des conseils d'un spécialiste. Son raisonnement est le suivant : « Pourquoi raconter ma vie puisque je peux me débrouiller seul ? » Il garde ses soucis pour lui aussi longtemps qu'il le peut car demander de l'aide quand ce n'est pas absolument indispensable lui semble un signe de faiblesse.

En revanche, quand c'est vraiment nécessaire, demander de l'aide devient pour le Martien un signe de sagesse. Dans ce cas, il s'adressera à quelqu'un qu'il respecte et il se confiera à lui. Sur Mars, parler d'un problème équivaut à solliciter le concours de son interlocuteur pour le résoudre. Tout bon Martien est honoré qu'on fasse appel à ses connaissances ou à ses services. Automatiquement, il coiffe sa casquette de « Monsieur Dépannages en tout genre » et écoute de manière à pouvoir résoudre le problème posé.

Autre caractéristique sur Mars : fidèles à leur passion pour les solutions, les Martiens ont pour principe de ne rien changer quand cela va bien. Une de leurs expressions favorites est : « On ne change pas une équipe qui gagne. » Car changer quelque chose c'est risquer de se tromper, éventualité que veut éviter tout Martien qui se respecte.

LA VIE SUR VÉNUS

Les Vénusiennes ont un tout autre système de valeurs, fondé sur la communication, la beauté et les rapports humains. Elles passent beaucoup de temps à s'entraider, à se soutenir mutuellement et à s'entourer les unes les autres d'affection. Leur valeur personnelle se mesure à la qualité de leurs sentiments et de leurs relations avec les autres.

Le bien-être d'une femme est lié à la qualité de ses sentiments et de ses relations avec les autres.

Tout sur Vénus reflète ces valeurs. Au lieu de construire gratte-ciel et autoroutes à huit voies, les Vénusiennes se préoccupent de l'harmonie de leur vie et de celle de leur entourage. Les rapports humains leur importent plus que le travail ou la technologie. À bien des égards, leur monde est donc à l'opposé de celui de Mars.

À l'inverse des Martiens, les Vénusiennes n'affectionnent guère les uniformes (symboles de compétence). Elles préfèrent porter chaque jour des vêtements différents, choisis en fonction de leur humeur. C'est pour cette raison qu'il peut leur arriver de se changer plusieurs fois par jour, leurs vêtements ne correspondant plus à leur humeur du moment.

Sur Vénus, la communication passe avant tout. Il est beaucoup plus important de partager ses sentiments que d'atteindre ses objectifs ou de réussir. Converser et entretenir des contacts fréquents avec les autres Vénusiennes apporte une immense satisfaction.

Il est difficile pour un homme de saisir cela. Pour comprendre ce que les rapports humains et amicaux apportent à une femme, il lui faut songer à ce que lui-même ressent lorsqu'il gagne une course, atteint un but ou résout un problème.

Hommes et femmes fonctionnent aujourd'hui encore comme leurs ancêtres martiens et vénusiennes. Ils obéissent aux mêmes motivations mais commettent souvent l'erreur d'avoir oublié qu'ils venaient de planètes différentes. Victimes de cette amnésie sélective, les hommes s'attendent que les femmes pensent, communiquent et agissent comme des hommes. De même, les femmes tiennent pour acquis que les hommes penseront, communiqueront et agiront comme elles.

Nous supposons à tort que si notre partenaire nous aime, il aura les réactions et le comportement qui sont les nôtres lorsque nous aimons quelqu'un. Cette attitude engendre inévitablement des déceptions répétées et nous empêche de prendre le temps nécessaire pour discuter avec amour de nos différences intrinsèques. Nous supposons à tort

que, dès lors que notre partenaire nous aime, il aura les réactions et le comportement qui sont les nôtres lorsque nous aimons quelqu'un.

Connaître et respecter nos différences permet d'aplanir spectaculairement nos rapports avec le sexe opposé. Alors rappelons-nous toujours notre métaphore de départ : les hommes viennent de Mars, les femmes viennent de Vénus.

CHAPITRE 2

« Monsieur Dépannages en tout genre » et « Madame Peut mieux faire »

Voyons à présent quels sont les modes de fonctionnement martiens et vénusiens qui perturbent généralement les relations.

Ce qu'une femme reproche le plus souvent à un homme, c'est de ne pas l'écouter. Quand elle parle, elle a l'impression que soit l'homme l'ignore complètement, soit qu'à peine elle a prononcé quelques mots il croit savoir ce qui la tracasse et, se coiffant de sa casquette de « Monsieur Dépannages en tout genre », lui suggère – tout fier de lui – un remède miracle pour régler son problème. Et il ne comprend pas pourquoi sa partenaire ne semble pas apprécier son aide, son geste d'amour. Elle a beau lui répéter qu'il n'écoute pas, il est incapable de saisir ce qu'elle entend par là et il ne change rien à son attitude. Elle veut de la compréhension, mais lui pense qu'elle veut des solutions.

De leur côté, les hommes reprochent le plus souvent aux femmes de toujours essayer de les changer. Quand une femme aime un homme, elle se croit obligée de l'aider à progresser. Elle se fait un devoir d'améliorer ce qui pourrait l'être chez son partenaire. Quelle que soit sa résistance, elle insiste, sautant sur la moindre occasion de l'aider ou de le conseiller. Alors qu'elle pense l'entourer de sa tendresse, lui se sent contrôlé. Il préférerait nettement qu'elle l'accepte tel qu'il est.

Pourquoi les hommes proposent-ils toujours des solutions, et pourquoi les femmes veulent-elles toujours perfectionner leur partenaire ? Parce que hommes et femmes viennent de planètes différentes. Ce qui peut paraître aimant et gentil sur une planète ne l'est pas forcément sur l'autre.

ARRÊTER LES CONSEILS

S'il lui manque cette connaissance du mode de fonctionnement martien et de ce qui compte pour eux, il est très facile pour une femme d'offenser, sans le vouloir, l'être qu'elle aime le plus au monde.

On l'a vu, sur Mars l'importance est avant tout donnée à la compétence. Et sans s'en rendre compte, une femme peut blesser un homme par des remarques qui peuvent être prises, par un homme, comme des mises en cause de sa compétence.

L'histoire de Mary est à cet égard exemplaire. Tom, son mari, et elle se rendaient à une soirée. Tom conduisait et s'était à l'évidence perdu. Après qu'ils eurent tourné pendant une vingtaine de minutes autour du même pâté de maisons, Mary lui suggéra de demander son chemin. Aussitôt Tom se ferma comme une huître. Et même quand ils furent finalement arrivés à bon port, la tension suscitée par la suggestion de Mary persista. La pauvre Mary ne comprenait absolument pas pourquoi son époux était aussi contrarié. Dans son esprit, sa proposition signifiait : « Je t'aime et je te veux du bien. »

Mais Tom avait compris : « Je n'ai pas confiance en ton aptitude à nous conduire à destination. Tu es un incompétent ! » Ce qui l'avait blessé.

Ne connaissant pas les principes régissant la vie sur Mars, Mary ne pouvait pas deviner combien il était important pour Tom d'atteindre son objectif – trouver la maison de leurs amis – par ses propres moyens. Ni que sa suggestion était blessante pour lui. Comme nous l'avons vu, un Martien ne donne jamais de conseils si on ne lui en a pas demandé. À ses yeux, c'est une preuve de respect que de présumer que les autres peuvent résoudre leurs problèmes seuls. S'ils en éprouvent le besoin, à eux de chercher la personne qui leur donnera la solution.

Mais Mary ignorait tout de cette façon de voir et ne pouvait imaginer qu'un banal trajet en voiture lui eût offert une occasion unique de prouver à Tom son amour en s'abstenant de lui suggérer de recourir à une aide extérieure. Son silence lui aurait procuré autant de bonheur qu'elle-même en aurait retiré d'un bouquet de fleurs ou d'une lettre d'amour.

En règle générale, une femme qui donne à un homme des conseils qu'il n'a pas sollicités ou essaie de l'« aider » quand il n'a rien demandé ne soupçonne pas combien elle peut lui paraître critique et peu aimante.

Il faut qu'elle comprenne qu'offrir de l'aide à un homme au moment inopportun peut presque s'assimiler à une insulte.

Quand un homme découpe la dinde de Noël et que sa femme passe son temps à lui dire comment procéder et quels morceaux couper, il sent en elle un manque de confiance. Et, vexé, il résiste, s'acharne à découper à son idée et, s'il joue de malchance, massacre le volatile. L'erreur de sa femme s'explique par le fait que si elle était chargée de découper la dinde et qu'il propose son assistance, elle en serait ravie et prendrait cela comme une preuve d'amour...

Au lieu de l'aider par ses conseils, elle ne réussit, en fait, qu'à le blesser. Dans ces situations, certains hommes réagissent vivement, notamment quand ils ont essuyé force rebuffades dans leur enfance, ou trop souvent vu leur mère critiquer leur père.

Bien des hommes jugent primordial de prouver qu'ils peuvent atteindre tous leurs objectifs, fussent-ils aussi dérisoires que le fait de conduire sans encombre leur femme au restaurant ou de couper une dinde. Curieusement, ils s'énervent même plus souvent pour les petits problèmes que pour les grands. Leur raisonnement pourrait s'exprimer ainsi : « Si ma compagne ne me croit pas capable de mener à bien une tâche aussi simple que de trouver mon chemin ou de trancher de la viande, elle ne peut sûrement pas me faire confiance pour les choses importantes. » Bref, dès qu'il doit réparer un objet, se rendre quelque part ou, plus généralement, résoudre un problème – toutes activités, rappelons-le, dans lesquelles il se targue d'être un expert, tout comme ses ancêtres martiens –, l'homme attend de sa femme amour et appréciation, et surtout ni conseils ni critiques.

Au début, il peut paraître très difficile d'apprendre à montrer de l'amour à son partenaire de la sorte. Beaucoup de femmes croient encore que la seule manière d'obtenir de lui ce qu'elles désirent consiste à critiquer leur conjoint quand il fait des erreurs et à lui donner des conseils sans qu'il en demande. Celles qui n'ont pas eu sous les yeux l'exemple d'une maman qui savait comment obtenir de leur papa le soutien dont elle avait besoin ignorent qu'elles encourageraient bien plus leur partenaire à leur donner ce dont elles ont besoin si elles arrêtaient de lui prodiguer des conseils non sollicités.

QUAND UN HOMME RÉSISTE AUX SUGGESTIONS DE SA FEMME

Voici quelques exemples d'impairs féminins, de petites remarques en apparence inoffensives qui irritent les hommes car ils sont perçus comme une intrusion dans sa vie. Parfois la critique ou le conseil sont apparents, parfois ils sont voilés. Voyons si vous devinerez en quoi un homme peut se sentir mis en cause par ces remarques féminines :

1. « La vaisselle est encore mouillée, elle va prendre des taches en séchant. »
2. « Il y a une place de stationnement là-bas, fais demi-tour. »
3. « Tu travailles trop, prends donc une journée de congé. »
4. « Tu devrais appeler un plombier. Lui saurait quoi faire. »
5. « Ton bureau est encore en désordre. Comment peux-tu travailler là-dedans ? Tu penses le ranger un jour ? »
6. « Tu roules trop vite. Ralentis ou tu vas avoir une contravention. »
7. « Il y a quelqu'un qui a bu à la bouteille. »
8. « Tu ne devrais pas manger ça. C'est trop gras et c'est mauvais pour ton cœur. »
9. « Tu te lèves trop tard, c'est pour cela que tu dois toujours te dépêcher. »
10. « Ta chemise ne va pas avec ton pantalon. »
11. « Ça fait trois fois que Jean t'appelle. Quand est-ce que tu vas le rappeler ? »

Quand une femme ne sait pas comment demander carrément de l'aide à son conjoint (chapitre 9) ou lui exprimer son désaccord de manière constructive (chapitre 11), elle peut se croire obligée de recourir aux critiques et aux conseils gratuits. Pourtant, si elle apprend à accepter son époux et à garder pour elle avis et reproches importuns, un grand pas sera déjà franchi dans leurs bonnes relations.

Prendre conscience du fait que son conjoint ne repousse pas ses requêtes, mais la façon dont elle les formule lui permettra de mieux accepter la situation, sans trop s'en offusquer, et de mettre au point des méthodes d'expression plus positives.

Un homme n'est pas réfractaire aux améliorations dès lors qu'on le traite en pourvoyeur de solutions, et non plus comme la source du problème.

Si vous êtes une femme, je vous suggère, en guise d'exercice, d'essayer de vous abstenir de *toute critique* et de *tout conseil* pendant une semaine entière. Vous verrez que, non contents de vous en être reconnaissants, les hommes de votre entourage se montreront soudain plus attentifs et plus compréhensifs.

Une femme peut exprimer sa confiance à un homme en lui faisant passer le message : « Si tu ne demandes pas de l'aide directement, je sais que tu es capable de te débrouiller. »

APPRENDRE À ÉCOUTER

La coutume martienne d'apporter systématiquement une solution dès que quelqu'un parle d'un problème est, de la même manière, source d'incompréhension entre hommes et femmes. Lorsqu'une femme expose innocemment son désarroi ou ses petits tracas, son partenaire pense qu'elle recherche l'avis d'un expert. Il entre alors dans la peau de « Monsieur

Dépannages en tout genre » et lui apporte la solution qui résoudra son problème. C'est sa façon à lui d'exprimer son amour et d'offrir son aide.

Très souvent, une femme veut simplement raconter sa journée. Son partenaire, pensant lui rendre service, l'interrompt avec une avalanche de solutions à ses tracas.

Il ne comprend alors pas pourquoi elle est contrariée.

Par exemple, quand Mary rentre à la maison après une journée épuisante et ressent le besoin d'en parler, elle dit : « Il y a tellement à faire, je n'ai pas une minute à moi. »

Tom lui répond : « Tu devrais abandonner ton travail. Trouve donc quelque chose qui te plaise davantage. »

Alors Mary réplique : « Mais j'aime mon travail. C'est juste qu'ils veulent que je change tout à la dernière minute. »

Tom poursuit : « Ne t'en fais pas. Fais seulement ce que tu peux faire. »

« Mais c'est ce que je fais ! » rétorque Mary. « Oh, non, j'ai complètement oublié d'appeler ma tante, aujourd'hui ! »

« Ne t'affole pas, elle comprendra », dit Tom.

Et Mary hausse légèrement le ton en disant : « Sais-tu ce qu'elle vit en ce moment ? Elle a besoin de moi ! »

Tom tente de la rassurer : « Tu t'inquiètes trop, c'est pour cela que tu es malheureuse. »

Mais Mary se fâche : « Je ne suis pas malheureuse ! Tu ne peux pas simplement m'écouter ? »

Tom se récrie : « Mais bien sûr que si ! Que crois-tu que je fasse en ce moment ? »

Et Mary, désespérée, abandonne la partie : « Bah !

De toute façon, il est impossible de discuter avec toi ! »

À l'issue d'une telle conversation, Mary se sent encore plus énervée que lorsqu'elle est arrivée après sa dure journée de travail, quêtant compréhension et soutien auprès de son compagnon. Tom est lui aussi agacé car il ne comprend pas la réaction de sa femme. Pourquoi Mary a-t-elle ainsi rejeté toutes les solutions qu'il lui a proposées ?

Ne connaissant pas les coutumes de Vénus, Tom ne pouvait pas deviner qu'il aurait mieux fait de se contenter d'écouter Mary. Ses suggestions n'ont fait qu'envenimer la situation car, sur Vénus, on n'interrompt jamais quelqu'un pour lui donner la clé du remède à ses soucis. Le respect exige que l'on écoute le récit de son interlocutrice jusqu'au bout, avec patience et empathie, en s'efforçant de vraiment comprendre ce qu'elle peut ressentir.

Tom ignorait que le seul fait de se voir prêter une oreille attentive et bienveillante suffirait à apporter à Mary soulagement et satisfaction. Après avoir été mis au courant des coutumes des Vénusiennes et de leur grand besoin de parler, il apprit peu à peu à écouter sa femme.

Les hommes doivent se rappeler que, si les femmes leur parlent de leurs problèmes, c'est beaucoup plus par souci de renforcer leur intimité en partageant leurs pensées que pour chercher à résoudre les problèmes en question.

Et maintenant que Tom a compris cette coutume vénusienne, lorsque Mary rentre de son travail excédée et épuisée, leur conversation prend une tout autre allure. Si, par exemple, Mary se plaint d'avoir trop de travail et de manquer de temps pour elle-même, Tom ne brandit plus de solution toute prête. Il commence par prendre une profonde inspiration pour se détendre, puis répond gentiment : « Hum, tu as l'air d'avoir eu une dure journée. »

Mary dit : « Ils veulent que je change tout à la dernière minute, je ne sais plus quoi faire. »

Tom marque une pause, avant d'émettre un « Ah ! » encourageant Mary à poursuivre :

« J'ai même oublié d'appeler ma tante. »

Plissant un peu le front, Tom dit : « Oh, non ! »

Mary ajoute : « Elle a tant besoin de moi en ce moment, je m'en veux terriblement. »

Et là-dessus Tom lui dit : « Tu es la femme la plus aimante et la plus merveilleuse qui soit ! Viens dans mes bras. »

Après quelques secondes dans ses bras, Mary déclare à Tom, avec un grand soupir de soulagement : « Cela me fait un bien fou de parler avec toi. Merci de m'avoir écoutée ! Je me sens vraiment mieux maintenant. »

Et, curieusement, Tom aussi se sent beaucoup mieux. Il s'émerveille de rendre sa femme heureuse seulement en l'écoutant. En prenant conscience de ce qui différencie les comportements féminins des comportements masculins, il a appris à écouter sans offrir de solutions, tandis que Mary assimilait l'art de laisser son mari agir à sa façon en lui épargnant conseils et critiques non sollicités.

QUAND UNE FEMME REJETTE LES SOLUTIONS PROPOSÉES PAR SON PARTENAIRE

Voici quelques exemples de tentatives maladroites d'apporter des solutions de la part d'un homme. Voyons si vous trouverez en quoi chacune de ces petites phrases est susceptible de susciter chez une femme une réaction d'antagonisme.

1. « Tu ne devrais pas t'en faire autant. »
2. « Oh ! ce n'est pas si important. »
3. « OK ! je m'excuse. Est-ce qu'on peut changer de sujet, à présent ? »
4. « Pourquoi ne le fais-tu pas plutôt toi-même ? »
5. « Tu ne devrais pas le prendre comme ça. »
6. « Ça y est, j'ai trouvé ! Voici ce que tu devrais faire. »
7. « C'est comme ça ! On ne peut rien y faire. »
8. « Si tu dois te plaindre après, ne le fais pas ! »
9. « Si tu n'es pas heureuse, on n'a qu'à divorcer. »
10. « Explique-toi, qu'est-ce que tu veux dire ? »
11. « Tout ce qu'on a à faire, c'est... »

Toutes ces remarques ont en commun de nier le tracas ou la contrariété exprimés par l'interlocutrice, de chercher à les expliquer ou de proposer une solution miracle pour transformer instantanément des sentiments négatifs en sentiments positifs. La première démarche qu'un homme peut faire pour améliorer la communication au sein de son couple est tout simplement de s'abstenir de ce genre de propos.

Si vous êtes un homme, efforcez-vous, au cours de la prochaine semaine, d'écouter votre femme *chaque fois* qu'elle vous parle, en tentant sérieusement de saisir le sens profond de ses paroles et les sentiments qu'elles expriment. Apprenez à vous taire quand vous avez envie de proposer une solution ou d'inviter votre femme à modifier son état d'esprit. Vous n'imaginez pas comme son attitude à votre égard changera.

À LA DÉFENSE DE « MONSIEUR DÉPANNAGES EN TOUT GENRE » ET DE « MADAME PEUT MIEUX FAIRE »

Attention, l'accent mis sur ces deux écueils ne signifie pas que je pense que « Monsieur Dépannages en tout genre » et « Madame Peut mieux faire » ont toujours tort. Leurs comportements ne sont d'ailleurs en eux-mêmes pas en cause. Seule la manière dont ils s'exercent – choix du moment et méthode d'intervention – constitue des erreurs.

La femme apprécie « Monsieur Dépannages en tout genre », mais pas quand elle a besoin de partager ses sentiments. Les hommes doivent absolument se souvenir, dans ces moments-là, de refréner leur désir de proposer des solutions lorsque leur femme leur confie ses soucis. Ce n'est pas ce qu'elle attend d'eux. Une oreille attentive et un peu de réconfort suffisent à la remettre d'aplomb. Elle n'a pas besoin d'être « réparée ».

De son côté, l'homme peut apprécier les suggestions d'amélioration de « Madame Peut mieux faire », mais à condition qu'il les ait lui-même requises. N'oubliez pas, mesdames, qu'un homme – surtout quand il est dans l'erreur – perçoit les conseils et les critiques gratuits comme des ordres voilés et en déduit que vous ne l'aimez pas réellement. Pour tirer des enseignements de ses erreurs, l'homme a bien plus besoin de se sentir accepté par sa femme que de recevoir ses recommandations. Et d'ailleurs, une fois convaincu qu'elle l'aime tel qu'il est sans chercher à le perfectionner, il se montre beaucoup plus disposé à lui demander son avis.

Quand notre partenaire nous résiste, c'est généralement parce que nous avons mal choisi notre moment ou parce que nous nous y prenons mal.

Après avoir examiné cette première différence très importante, étudions la suivante : la gestion du stress.

CHAPITRE 3

Les hommes s'enferment dans leur grotte et les femmes ont besoin de parler

Une autre différence fondamentale entre les hommes et les femmes réside dans leur façon de réagir au stress. Les hommes se focalisent et se ferment, les femmes s'ouvrent aux émotions qu'elles ressentent. Dans ces moments-là, leurs besoins sont totalement à l'opposé : pour se sentir mieux, les femmes ont besoin de parler de leurs émotions et de se sentir comprises. Les hommes veulent résoudre leurs problèmes seuls.

Poursuivons l'exemple de Tom et Mary :

Quand Tom rentre de son travail, il veut avant tout se relaxer en lisant tranquillement son journal. Il est tendu à cause des problèmes qu'il a dû laisser en suspens au bureau, et cela le soulage de pouvoir les oublier momentanément.

Son épouse, Mary, a eu elle aussi une dure journée. Mais elle, pour pouvoir se détendre, a besoin de la raconter (on a vu le type de conversation dont elle a besoin – elle parle pour se sentir mieux et non pour demander une solution).

En son for intérieur, Tom la trouve bien bavarde

et préférerait qu'elle se taise. Et comme il ne l'écoute que d'une oreille, Mary se sent délaissée. Résultat : une tension naît, qui ne tardera pas à se muer en rancœur. Et s'ils ne prennent pas conscience de leurs différences, ils s'éloigneront inexorablement l'un de l'autre.

Tant qu'il n'aura pas saisi que les femmes ont réellement besoin de raconter leurs soucis, Tom continuera à penser que Mary parle trop et à faire la sourde oreille. Et tant qu'elle ne comprendra pas que Tom s'immerge dans son journal pour dominer son stress, Mary persistera à se sentir ignorée et négligée, et insistera pour qu'il lui parle alors qu'il n'en a nulle envie.

Pour comprendre d'où proviennent ces réactions non adaptées, étudions en détail comment l'homme et la femme réagissent face au stress.

GESTION DU STRESS SUR MARS : LA GROTTE

On l'a vu, un Martien ne parlera de ses problèmes à un congénère que s'il a besoin de son assistance pour les résoudre. Si ce n'est pas le cas, il se replie sur lui-même et se rend dans sa grotte. Chaque Martien a cet espace privatif dans lequel il se réfugie en esprit. Il s'y rend pour réfléchir seul et trouver la solution à son problème.

En règle générale, il commence par s'attaquer au plus urgent ou au plus sérieux d'entre eux. Quand il est dans sa grotte, il relègue ses autres préoccupations et responsabilités au second plan.

Avec sa partenaire, il se montre distant, distrait, indifférent, en un mot : préoccupé. Et si, à ce moment-là, elle se met à parler avec lui, elle risque d'éprouver la déplaisante impression qu'il ne lui consacre que 5 % de ses capacités cérébrales, les autres 95 % étant occupés ailleurs. Et, de fait, c'est bien ce qui se passe. Quoique physiquement présent, il n'est pas vraiment là car son esprit continue inlassablement à chercher une solution à son problème. Plus celui-ci est grave, plus notre homme est absorbé et incapable d'accorder à sa femme l'attention et la considération qu'elle mérite. En revanche, dès que son problème sera réglé, il redeviendra disponible pour sa relation de couple.

Un cas classique d'incompréhension.

Madame se plaint : « Tu ne m'écoutes pas ! »

Monsieur répond : « Comment ça ? Je peux te répéter tout ce que tu viens de dire. »

C'est que, plongé dans sa grotte, l'homme utilise les 5 % de son cerveau encore disponibles pour enregistrer tout ce que sa femme lui dit. Il appelle cela écouter, puisqu'il entend ce qu'elle lui dit, mais il n'est effectivement pas présent émotionnellement.

Tant qu'il est dans sa grotte, il demeurera prisonnier de ses préoccupations. Il va lire le journal, regarder la télévision, faire un tour en voiture ou une série d'abdominaux, regarder un match de football, jouer au tennis ou pratiquer toute autre activité ne mobilisant pas plus de 5 % de ses capacités intellectuelles. Ces activités vont l'aider à réfléchir et à trouver une solution ou à mettre ses problèmes de côté. Dans les deux cas, elles l'aideront à sortir de sa grotte et à reprendre une vie « normale ».

Si la clé du puzzle lui échappe, il cherchera à se changer les idées en lisant le journal ou en jouant à un jeu vidéo. Et l'esprit ainsi délivré de ses préoccupations immédiates, il parviendra peu à peu à se détendre. En cas de stress particulièrement violent, il devra recourir à des activités plus « musclées » pour le vaincre, comme rouler à vélo à toute vitesse, courir un marathon ou escalader une paroi rocheuse.

Quand cela ne va pas, les Martiens s'enferment dans leur grotte pour résoudre leurs problèmes tout seuls.

Examinons plus en détail quelques exemples. En période de stress, Jim aime se plonger dans la lecture de son journal. Considérer les problèmes du monde et songer à la meilleure manière de les résoudre lui permet de sortir de sa grotte. Peu à peu, son esprit en vient à oublier ses préoccupations personnelles au profit des événements nationaux ou internationaux... dont il n'est pas directement responsable. Ce processus le libère de l'emprise de ses soucis pour le rendre de nouveau disponible pour sa femme et sa famille.

Tom, lui, préfère regarder un match de football. Les difficultés de son équipe favorite se substituent progressivement aux siennes. Avantage supplémentaire, il a l'impression de surmonter un obstacle à chaque étape de la partie. Quand son équipe marque un but ou gagne, un sentiment de succès l'envahit ; si elle perd, il ressent cette défaite comme la sienne, mais dans un cas comme dans l'autre il ne pense plus à ses vrais problèmes.

Et l'inévitable sensation de détente qui accompagne la fin d'un événement sportif, d'un journal télévisé ou d'un film apaise les nerfs à vif de Tom, de Jim et de nombre de leurs congénères.

LES FEMMES ET LA GROTTE

Nous l'avons vu, quand un homme est dans sa grotte, il est incapable de vouer à sa partenaire l'attention qu'elle mérite. C'est un moment difficile à vivre pour elle, d'autant plus qu'elle ignore à quel point il est stressé, puisque, en bon Martien, il lui tait ses soucis. Et elle se met à en vouloir à son partenaire plutôt que de compatir à ses soucis : non seulement il l'ignore tout bonnement, mais il paraît évident qu'il ne tient pas vraiment à elle ; sinon, il lui confierait ses préoccupations.

Les femmes comprennent mal le mode de gestion martien du stress. Elles pensent que les hommes feraient mieux de discuter ouvertement de leurs difficultés, comme le font les Vénusiennes, et se sentent blessées lorsqu'ils se renferment en eux-mêmes, et plus encore quand ils consacrent plus d'attention à la télévision ou à leur ballon de football qu'à elles.

Pourtant, attendre d'un homme enfermé dans sa grotte qu'il soit disponible et aimant est aussi irréaliste qu'espérer qu'une femme prise dans ses émotions puisse tenir un discours rationnel. Enfermés dans leur grotte, les Martiens ont tendance à oublier que leurs amis aussi ont des soucis. Leur instinct profond leur dicte de résoudre leurs propres problèmes avant de songer à aider les autres. Cette attitude horrifie généralement les femmes, qui tentent par tous les moyens de les faire sortir de leur silence.

La brûlure du dragon

Les femmes doivent absolument comprendre qu'il ne faut jamais essayer de faire parler un homme avant qu'il ne soit prêt à le faire. C'est au cours d'une discussion sur ce sujet, pendant un de mes séminaires, qu'une Amérindienne m'a raconté que, dans sa tribu, les mères enseignaient aux jeunes filles en âge de se marier que lorsque l'homme était contrarié ou stressé il se retirait dans sa grotte et qu'elles ne devaient pas s'en offusquer parce que cela allait se produire de temps en temps, et que cela ne signifiait nullement qu'il ne les aimait pas. Il reviendrait vers elles ensuite. Ces mères disaient aussi qu'il était encore plus important de ne jamais tenter de suivre leur homme dans sa grotte, parce que alors elles seraient brûlées par le dragon chargé de défendre cette grotte.

N'entrez jamais dans la grotte d'un homme, sinon vous serez brûlée par le dragon !

Beaucoup de conflits inutiles ont été déclenchés parce qu'une femme tentait de suivre son partenaire dans sa grotte. Elle n'a pas compris le réel besoin de solitude et de silence d'un homme. S'il y a un problème, elle espère pouvoir le résoudre en l'invitant à sortir de sa solitude et à en discuter avec elle.

Elle lui demande : « Qu'est-ce qui ne va pas ? » et il lui répond : « Rien ! », mais elle sent bien qu'il est troublé. Elle lui demande alors pourquoi il refuse de partager ses sentiments avec elle et, au lieu de le laisser régler les choses comme il l'entend, dans la solitude de sa grotte, elle interrompt son processus interne en questionnant encore : « Je sais qu'il y a quelque chose qui ne va pas, dis-moi donc ce que c'est ! » Alors il répète : « Je te dis que ce n'est rien ! »

Elle réplique : « Ne me dis pas ça ! Je sais bien qu'il y a quelque chose qui te tracasse. Dis-moi ce que tu ressens. »

Il s'impatiente : « Écoute ! Je te l'ai dit, je vais bien ! Laisse-moi tranquille ! »

Et elle éclate : « Comment peux-tu me traiter comme ça ? Tu ne veux plus jamais me parler. Comment veux-tu que je comprenne comment tu te sens ? Tu ne m'aimes plus ! Je le sais, tu ne veux plus de moi ! »

Et là, il s'emporte et commence à dire des choses qu'il regrettera par la suite. Le dragon vient de brûler !

Il aurait été plus sage de le laisser dans sa grotte et de lui faire confiance : il allait en sortir tout seul, une fois son problème réglé.

QUE FAIRE QUAND IL SE RÉFUGIE DANS SA GROTTE

Lorsque, dans mes séminaires, j'explique mon image des grottes et des dragons, les femmes veulent toujours savoir ce qu'elles peuvent faire pour réduire le temps que leur conjoint passe dans sa grotte. Je renvoie alors la question aux hommes présents, qui répondent en général que plus les femmes essaient de leur parler ou de les inciter à sortir de leur isolement, plus cela leur prend du temps.

L'un d'eux a déclaré : « C'est difficile de me décider à sortir quand je sais que ma partenaire va me reprocher le temps que j'ai passé dans ma grotte. » Conclusion : réprimander un homme parce qu'il s'est trop longuement retiré dans sa grotte ne fait que le pousser à y demeurer, même quand il aurait envie d'en sortir.

On sait qu'un homme s'isole dans sa grotte quand il se sent blessé ou stressé et qu'il veut essayer de régler ses problèmes tout seul. S'il acceptait l'aide que sa femme veut lui apporter, il irait à l'encontre de l'esprit même de sa démarche.

Voici ce qu'une femme peut faire pendant que son partenaire est dans sa grotte. Cela montrera à son conjoint qu'elle ne lui en veut pas et qu'il sera le bienvenu quand il sortira de sa grotte.

1. Accepter son besoin d'isolement.
2. Ne pas tenter de résoudre son problème

3. Ne pas tenter d'accélérer le processus en lui posant des questions.
4. Ne pas s'asseoir près de la porte de la grotte en guettant sa sortie.
5. Ne pas s'inquiéter à son sujet ni le plaindre.
6. Se distraire en pensant à autre chose.

Si vous devez, quand il est dans sa grotte, absolument partager ce que vous ressentez, plutôt que d'aller lui parler, une meilleure approche peut être de lui écrire un petit mot qu'il pourra lire en sortant de son isolement. Et si vous avez besoin d'être écoutée, appelez une amie. Arrangez-vous pour que votre compagnon ne soit pas votre seule source d'intérêt et de satisfaction.

Il est difficile pour une femme de ne pas s'inquiéter quand son partenaire se terre dans la grotte de son esprit. En effet, sur Vénus, qui dit amour dit souci du bien-être de l'autre. Se préoccuper de son sort est une façon de dire « je t'aime » et rire quand la personne qu'on aime est perturbée ne semble pas correct.

Seulement, l'homme veut que sa Vénusienne favorite lui fasse confiance et reconnaisse sa capacité de s'en sortir seul. C'est là une condition essentielle à son bien-être, à sa fierté et à son honneur.

Et pendant ce temps-là, il lui sera tout à fait reconnaissant de profiter de la vie sans s'inquiéter de lui, ne serait-ce que pour lui éviter d'avoir à s'inquiéter d'elle.

Elle pourra continuer ses activités normales sans se soucier de lui ; ou s'accorder des petits plaisirs personnels en écoutant de la musique, en jardinant, en discutant avec ses copines...

Sur Mars, on se montre du respect en ne s'inquiétant pas d'autrui. Cette façon de faire se tient : « Comment peut-on s'inquiéter pour une personne que l'on admire et en qui l'on a toute confiance ? »

Les amis se soutiennent mutuellement par des phrases telles que : « Ne t'inquiète pas, tu en es capable ! » ou : « C'est son problème, pas le tien », ou encore : « Je suis certain que ça va marcher. » Minimiser leurs difficultés aide les hommes à contrôler leur inquiétude.

C'est une très belle preuve d'amour sur Mars, mais il faut se souvenir que nous venons de planètes différentes, et qu'il faut éviter de procéder de la sorte avec une Vénusienne.

Pour ma part, j'ai fait cette erreur avec ma femme pendant des années, avant de découvrir qu'elle aurait nettement préféré que je me tracasse pour elle quand elle se sentait contrariée ou inquiète. Une erreur de jugement typiquement martienne !

CE QU'UN HOMME PEUT FAIRE POUR AIDER UNE FEMME À ACCEPTER LA GROTTE

Comme nous l'avons vu, un homme qui se réfugie dans sa grotte ou dans un mutisme obstiné cherche en fait à dire : « J'ai besoin d'un peu de temps pour réfléchir à mon problème. Je t'en prie, arrête de me parler. Je serai bientôt de retour. » Il ne réalise pas que pour une femme cela peut plutôt vouloir dire : « Je ne t'aime plus. Je ne veux plus t'écouter. Je m'en vais et je ne reviendrai jamais ! » Pour éviter l'effet néfaste d'une telle incompréhension, l'homme peut progressivement apprendre à prononcer, au moment de s'isoler, ces trois mots magiques : « Je vais revenir ! » C'est incroyable comme ces trois petits mots font toute la différence.

Si une femme s'est déjà sentie abandonnée ou rejetée par son père, ou si elle a vu sa mère rejetée par son mari, l'enfant qui est en elle craindra toujours d'être abandonnée. Pour cette raison, on ne devrait jamais porter de jugement sur le besoin d'une femme d'être rassurée. De la même façon, il ne faut jamais juger un homme sur son besoin de s'isoler dans sa grotte.

On ne doit jamais porter de jugement sur le besoin d'une femme d'être rassurée, ni sur celui d'un homme de se replier sur lui-même.

Une femme qui n'a pas été trop traumatisée par son passé et qui comprend la nécessité pour l'homme de passer du temps dans sa grotte aura moins besoin d'être rassurée.

Je me souviens qu'au cours d'un de mes séminaires, une femme a déclaré : « Moi, je suis extrêmement sensible aux silences de mon mari. Pourtant, dans mon enfance, je ne me suis jamais sentie abandonnée ni rejetée. Ma mère non plus ne s'est jamais sentie rejetée par mon père. Quand ils ont divorcé, ils l'ont fait à l'amiable. » Elle n'a pu s'empêcher d'éclater de rire en réalisant à quel point elle s'était caché la vérité. Puis elle s'est mise à pleurer. Évidemment, sa mère avait dû se sentir rejetée. Évidemment, elle-même s'était aussi sentie rejetée quand ses parents avaient divorcé ! Et, comme ses parents, elle avait toujours étouffé ces sentiments douloureux.

De nos jours, alors que les divorces sont si nombreux, l'homme doit faire encore plus d'efforts pour rassurer sa compagne.

Mais pour qu'elle puisse laisser l'homme gérer son stress à sa manière, il est impératif que l'homme puisse aider, lui aussi, sa femme à gérer le sien de la façon qui lui convient.

GESTION DU STRESS SUR VÉNUS : LA PAROLE QUI SOULAGE

Lorsqu'une Vénusienne est contrariée ou stressée par sa journée, elle recherche la compagnie d'une personne de confiance à qui elle pourra raconter ses tracas dans leurs moindres détails. Partager ses doutes et ses angoisses avec une autre Vénusienne la soulage immédiatement. C'est ainsi que l'on procède, sur Vénus.

Quand cela ne va pas, les Vénusiennes discutent ouvertement de leurs problèmes entre elles.

Sur Vénus, confier ses problèmes à autrui est un signe d'amour et de confiance, pas un fardeau inconvenant. Les Vénusiennes n'ont pas honte d'avoir des ennuis. Leur ego se soucie moins d'une quelconque apparence de compétence que de leur capacité à entretenir des rapports humains harmonieux. Elles n'éprouvent aucune réticence à partager leurs sentiments d'impuissance, de confusion, de désespoir ou d'épuisement.

Lorsqu'une femme est bouleversée, elle l'est à propos de tous ses problèmes, les petits comme les grands.

Une femme stressée cherche moins à résoudre ses problèmes qu'à se soulager en les racontant à un interlocuteur capable de les comprendre.

Aucun ordre d'aucune sorte ne régit la succession des sujets. Ils peuvent aussi bien traiter de problèmes passés que de problèmes futurs, de problèmes virtuels ou même de problèmes insolubles. Mais qu'ils soient graves ou véniels, c'est le fait d'en parler longuement à quelqu'un qui l'écoute et la comprend qui permet à la femme de se sentir de mieux en mieux. C'est ainsi que les femmes fonctionnent, et attendre d'elles une autre attitude reviendrait à nier leur nature profonde.

Si une femme pense qu'on ne la comprend pas, son stress s'accentue et de nouveaux sujets d'inquiétude viennent grossir le cortège de ceux qui l'angoissent déjà. Dans ce cas, par un processus similaire à celui qui conduit l'homme dans sa grotte à recourir au petit écran pour se distraire et « débloquer » ses cellules grises, la femme va chercher un délassement en se penchant sur des problèmes moins aigus ou sur ceux de ses amies, de ses parents ou même d'inconnus. De toute manière, il s'agit toujours de discussions, c'est-à-dire de la réaction naturelle et normale d'une Vénusienne confrontée à un stress.

Pour oublier ses propres souffrances, une femme se plonge parfois dans les problèmes d'autrui.

Pourquoi les femmes parlent

Réponse : une femme parle pour une foule de raisons, parfois les mêmes que celles qui poussent les hommes à se taire. En voici quatre parmi les plus courantes :

1 – Pour donner ou demander une information. (C'est la seule raison qui fait aussi parler les hommes.)
2 – Pour essayer de trouver ce qu'elle voudrait dire. (Alors que lui se tait pour savoir quoi dire, elle réfléchit volontiers tout haut.)
3 – Pour ne pas perdre le contrôle d'elle-même et se remettre d'une contrariété. (Dans une

situation similaire, l'homme sera au contraire frappé de mutisme car c'est à l'abri de sa grotte qu'il parvient le mieux à se calmer.)

4 – Pour créer une intimité. C'est en communiquant ses sentiments, et en particulier ses sentiments amoureux, qu'elle évalue leur solidité. (Le Martien, lui, se tait pour se retrouver, parce qu'il craint que trop d'intimité ne lui fasse perdre son identité.)

LES HOMMES ET LE BESOIN QU'ONT LES FEMMES DE PARLER

En général, quand les femmes essaient de leur parler de leurs problèmes, les hommes se tiennent sur la défensive, les prenant pour des critiques personnelles. De ce fait, plus les soucis évoqués sont nombreux et sérieux, plus ils se butent. Ils ne réalisent pas qu'elles cherchent seulement une oreille compatissante.

Rappelons que les Martiens n'expriment leurs problèmes que dans deux cas de figure précis : quand ils veulent faire des reproches à quelqu'un, et lorsqu'ils sont en quête d'un conseil. Aussi, si la femme qui leur narre ses ennuis est visiblement irritée, ils en déduisent qu'elle leur reproche quelque chose, et si elle semble moins perturbée, qu'elle leur demande un conseil.

Si l'homme croit que l'on sollicite son avis, il s'empresse de coiffer sa casquette de « Monsieur Dépannages en tout genre », et s'il sent venir un blâme, il dégaine ses armes pour contrer l'attaque. Dans les deux cas, le malentendu ne tarde pas à s'épaissir.

En effet, quand un homme l'assaille de solutions dont elle n'a que faire, la femme les écarte et poursuit son récit, abordant un sujet d'inquiétude après l'autre.

De son côté, au bout de deux ou trois propositions, l'homme pense que sa compagne doit commencer à se sentir mieux – car un Martien réagirait ainsi – et, comme il voit qu'il n'en est rien, en déduit qu'elle rejette son aide et qu'elle le rejette avec celle-ci. Dans l'hypothèse où il se sent attaqué, l'incompréhension s'installe aussi. L'homme cherche à se défendre, à s'expliquer, ce qui ne fait qu'accroître l'agacement de son interlocutrice. Il ne saisit pas qu'elle n'a pas besoin d'explications. Elle a besoin qu'il comprenne ses sentiments et lui permette de continuer et de parler d'autres problèmes. S'il avait la sagesse de se taire et d'écouter patiemment sa femme, il verrait que très vite elle cesserait de se plaindre de lui pour passer à d'autres motifs de tracas. Cela lui éviterait bien des frustrations, car rien ne déprime plus un homme que de se voir dans l'incapacité de secourir sa femme dans l'adversité.

Malheureusement, leur obsession des solutions conduit les hommes à souffrir quand les femmes évoquent des problèmes insolubles, ou du moins qu'ils sont incapables de résoudre, tels que :

« Je suis mal payée. »

« Ma tante Louise est très malade et chaque année son état s'aggrave. »

« Notre maison est vraiment trop petite. »

« Quelle sécheresse épouvantable... Quand va-t-il enfin pleuvoir ? »

« Notre compte en banque est presque à découvert. »

Pour une femme, de telles affirmations servent seulement à exprimer ses inquiétudes, ses déceptions et sa révolte face à l'inéluctable. Elle sait pertinemment qu'il n'existe aucune réponse à ces questions, mais elle éprouve tout de même le besoin d'en parler pour se soulager et elle se sent soutenue si celui qui l'écoute montre de l'empathie pour sa tristesse et sa révolte.

Pourtant, ce n'est pas ce qui se passe : plus une femme donne de détails sur ses problèmes, plus son partenaire s'impatiente. Persuadé que chacun de tous ces détails est nécessaire pour élaborer la solution adéquate, il s'évertue en effet à en évaluer l'importance précise... et se décourage. Une fois de plus, il oublie que son interlocutrice n'attend pas de lui la clé de tous ses soucis.

Pour ne rien arranger, sa structure mentale martienne le pousse à s'épuiser à chercher dans le récit de sa compagne une logique inexistante. En réalité, elle saute d'un sujet à l'autre, parfois du coq à l'âne, au gré des pensées qui traversent son esprit. Une fois qu'elle a exposé deux, trois ou quatre problèmes, il craque parce qu'il ne trouve pas la ligne directrice qui les relie entre eux.

Et pour finir, il attend avec impatience la conclusion du récit. C'est logique : comment pourrait-il commencer à élaborer une solution tant qu'il lui manque cet élément essentiel ? De ce fait, plus le récit est détaillé, plus il bout intérieurement.

Bref, les hommes s'épargneraient bien des contrariétés s'ils consentaient à admettre que leur partenaire s'exprime sans ordre préétabli et veut seulement se soulager en exprimant ses soucis.

Tout comme l'homme tire satisfaction de l'élaboration d'une solution parfaite jusque dans ses moindres détails, la femme s'épanouit en relatant ses soucis avec une précision quasi chirurgicale.

Au fur et à mesure qu'un homme se familiarisera avec le mode de pensée féminin, il lui paraîtra de moins en moins difficile d'écouter sans s'énerver. Et si sa partenaire prend la précaution de le rassurer en lui rappelant qu'elle n'attend de lui aucune solution, avant d'entamer le récit de ses problèmes, il pourra plus facilement se détendre et lui accorder attention et patience. Le Martien réalisera alors que ce qu'il avait tendance à prendre pour des attaques, des reproches et des critiques n'est pas lié à lui, et que très vite sa compagne se sentira mieux et lui sera très reconnaissante pour son écoute.

CE QU'UNE FEMME PEUT FAIRE POUR AIDER UN HOMME À ÉCOUTER

La grande difficulté, pour un homme, c'est de ne pas prendre personnellement ce qu'une femme lui dit dans ces moments-là.

Pour rassurer leur conjoint, les femmes ont différentes possibilités. Elles peuvent par exemple faire une pause après quelques minutes, et lui dire combien elles apprécient qu'il les écoute si patiemment.

Elles pourront aussi lui dire des choses comme :

– « Je suis bien contente de pouvoir en parler. »

– « Ça me fait beaucoup de bien d'en parler. »

– « Je me sens très soulagée de pouvoir parler de cela. »

– « Maintenant que je t'ai dit ce que j'avais sur le cœur, je me sens mieux. Merci de m'avoir écoutée ! »

Une fois la communication amorcée, la femme pourra apporter à son conjoint un soutien appréciable en lui exprimant sa reconnaissance pour tout ce qu'il a déjà fait afin de rendre sa vie plus agréable et plus satisfaisante. Par exemple, si elle évoque ses ennuis professionnels, elle remarquera combien elle apprécie sa présence quand elle revient à la maison. Si elle expose ses problèmes domestiques, elle profitera de l'occasion pour le remercier d'avoir réparé le robinet. En exprimant des problèmes financiers, elle jugera opportun de le remercier de tout le mal qu'il se donne pour améliorer leur condition et leur bien-être. Et si elle se dit exaspérée par ses difficultés avec leurs enfants, elle louera d'autant plus son aide dans ce domaine.

Partager les responsabilités

Pour bien communiquer, il faut impérativement que les deux parties collaborent. L'homme doit se rappeler qu'une femme qui se plaint de ses problèmes ne les lui reproche pas forcément, et que parler l'aide à se soulager de ses frustrations. Quant à la femme, elle doit lui faire savoir que, même si elle se plaint, elle l'apprécie.

Par exemple, ma femme est entrée pour me demander où j'en étais dans ce chapitre, et je lui ai répondu : « J'ai presque fini. Tu as passé une bonne journée ? » Alors elle a ajouté : « Il y a tant à faire, on ne passe presque plus de temps ensemble. » Si elle m'avait dit cela autrefois, je me serais tout de suite mis sur la défensive et je lui aurais rappelé combien d'heures nous avions passées ensemble au cours de la semaine. Ou je lui aurais dit qu'il était extrêmement important pour moi de finir ce livre à temps. De toute façon, j'aurais contribué à créer une tension entre nous.

Mais l'homme que je suis devenu, conscient des différences entre les sexes, a compris qu'elle cherchait de la compréhension plutôt qu'une justification ou des explications, et qu'elle avait surtout besoin d'être rassurée. Alors je lui ai dit : « Tu as raison, nous travaillons beaucoup en ce moment. Mais viens donc t'asseoir sur mes genoux, que je te prenne dans mes bras. La journée a été difficile. »

Ce à quoi elle a rétorqué : « Tu as l'air de te sentir vraiment bien. » C'était là exactement la remarque dont j'avais besoin pour pouvoir la satisfaire. Elle commença ensuite à se plaindre un peu plus de sa journée et à me rappeler à quel point elle était épuisée. Après quelques minutes, elle s'arrêta. Je lui offris de raccompagner la baby-sitter pour lui permettre de se détendre et de se reposer un peu avant le dîner. Elle s'exclama : « Tu vas raccompagner la baby-sitter ? C'est merveilleux ! Merci beaucoup ! » Là encore, elle dit ce qu'il fallait pour que je me sente un partenaire parfait, même quand elle était épuisée.

Les femmes ne pensent pas toujours à exprimer leur reconnaissance parce qu'elles considèrent que leur conjoint sait à quel point elles aiment qu'on les écoute. Mais lui ne le sait pas du tout ! Entendre sa femme lui parler de ses problèmes lui inspire surtout le désir de se faire rassurer quant à l'amour qu'elle lui porte.

Les problèmes dépriment les hommes, sauf quand ils sont appelés à les résoudre. En lui témoignant de la gratitude, une femme permettra à son conjoint de comprendre que l'écouter parler revient à lui prodiguer une aide. La femme n'a pas besoin de réprimer ses sentiments, ni même de les modifier, pour soutenir son partenaire. Elle peut simplement lui dire quelques mots de gratitude.

CHAPITRE 4

La confusion des langages

À la suite de leur rencontre, les Martiens et les Vénusiennes se trouvèrent confrontés à bon nombre de problèmes qui existent encore souvent aujourd'hui dans nos relations. Mais, comme ils connaissaient leurs différences, ils purent les régler rapidement. C'est toujours vrai : une bonne communication est l'un des secrets d'un couple heureux.

Curieusement, le fait qu'ils parlent des langages différents les a plutôt aidés, car dès qu'une difficulté se présentait ils avaient recours à un dictionnaire ou même à un interprète. Ils ne s'attendaient pas à se comprendre facilement.

Pourtant, les mots utilisés par les Martiens et les Vénusiennes étaient les mêmes mais, par leur façon de les utiliser, ils leur donnaient des sens différents. Leurs expressions aussi étaient similaires, mais ils leur donnaient des connotations différentes, ou une charge émotionnelle qui en faisait varier la signification. Il était très facile de se méprendre. Aussi, dès qu'un malentendu surgissait, ils le mettaient sur le compte d'une des mille petites méprises linguistiques qui émaillaient leurs conversations. Rien de grave, en somme.

Bien que les Martiens et les Vénusiennes aient utilisé les mêmes mots, ils ne leur donnaient pas la même signification.

LES UNES EXPRIMENT DES SENTIMENTS, LES AUTRES DONNENT DES INFORMATIONS

Aujourd'hui encore, les hommes et les femmes auraient bien besoin d'interprètes. Tout comme leurs ancêtres martiens et vénusiennes, ils veulent rarement exprimer la même chose avec les mêmes mots. Par exemple, une femme qui dit : « J'ai l'impression que tu ne m'écoutes jamais » ne donne pas au mot « jamais » son sens littéral. Elle l'utilise en guise de superlatif pour illustrer l'intensité de son malaise. Et ce mot ne doit pas être interprété comme s'il transmettait une information exacte.

Pour donner plus de force à leurs sentiments, les femmes n'hésitent pas à recourir à la licence poétique, aux superlatifs, aux métaphores ou aux généralisations.

Malheureusement, les hommes prennent ces expressions au premier degré et, puisqu'ils en ont mal interprété le sens, réagissent souvent mal. Le tableau suivant énumère les dix plaintes féminines le plus souvent mal comprises par les hommes.

PLAINTES FÉMININES SOUVENT MAL INTERPRÉTÉES PAR LES HOMMES

Quand une femme dit...	Il répond...
« On ne sort jamais ! »	« Ce n'est pas vrai, on est sortis la semaine dernière. »
« Personne ne se préoccupe de moi ! »	« Je suis sûr qu'il y a des gens qui font attention à toi. »
« Je suis si fatiguée que je ne peux plus rien faire. »	« C'est ridicule, tu n'es pas infirme, tout de même ! »
« J'en ai marre de tout ! »	« Si tu n'aimes plus ton travail, changes-en ! »
« La maison est toujours en désordre. »	« Pas *toujours*, voyons ! »
« Plus personne ne m'écoute. »	« Regarde, moi, je t'écoute ! »
« Rien ne marche ! »	« C'est ma faute, je suppose ! »
« Tu ne m'aimes plus ! »	« Bien sûr que je t'aime. La preuve : je suis là ! »
« On est toujours en retard ! »	« Pas du tout, pas vendredi dernier ! »
« J'aimerais que tu sois plus romantique avec moi. »	« Tu ne me trouves pas romantique ? »

Remarquez comme une interprétation littérale du langage féminin peut facilement induire l'homme en erreur, d'autant plus que lui a pour habitude de toujours chercher le mot juste. On devine aussi que les réponses de l'homme pourraient rapidement déclencher une dispute en règle. Voilà comment un défaut de communication – qu'il soit d'ordre quantitatif ou qualitatif – peut provoquer des ravages au sein d'un couple.

Le reproche que les femmes font le plus souvent à leur partenaire est : « J'ai l'impression qu'il ne me comprend pas. » Et même cette plainte est souvent mal comprise ou mal interprétée.

Bien sûr, en prenant au premier degré cette phrase, l'homme est amené à mettre en doute les sentiments de la femme et à s'expliquer pour se défendre. Il a entendu ses propos et pourrait les répéter sans erreur... Mais pour qu'il saisisse ce qu'elle a réellement voulu dire, il aurait fallu qu'elle lui dise : « J'ai l'impression que tu ne comprends pas ce que je cherche si désespérément à te dire, et que tu ne vois pas dans quel état je suis. Pourrais-tu donc me montrer que tu es réellement intéressé par ce que j'ai à dire ? »

Si l'homme avait vraiment compris sa demande, il aurait pu réagir de manière positive, au lieu de s'énerver et d'entamer une dispute. D'ailleurs, la plupart des querelles entre hommes et femmes débutent par un malentendu d'origine sémantique. C'est pour cela qu'il est si crucial pour eux de s'efforcer de saisir et d'interpréter correctement les propos de l'autre.

Malheureusement, beaucoup d'hommes refusent encore d'admettre cette réalité et pensent que leur femme fait juste preuve de mauvaise volonté... et de mauvais caractère. Ce qui conduit presque immanquablement à la dispute.

QUAND LES VÉNUSIENNES PARLENT

Vous allez découvrir ci-après quelques extraits du petit dictionnaire de conversation vénusien/martien. Chacune des dix plaintes féminines déjà mentionnées y est traduite en langage masculin, afin que les hommes puissent en saisir le sens réel. Et pour chaque phrase, j'ai aussi indiqué la réponse qu'une femme attendait d'eux.

Car quand une Vénusienne est bouleversée, elle ne se répand pas en généralités et autres métaphores pour le simple plaisir de parler. C'est sa façon à elle de solliciter l'appui de son interlocuteur. Elle ne le demandera toutefois jamais ouvertement, parce que sur Vénus tout le monde sait déceler l'attente que masquent de tels propos.

C'est ce sens caché que révèlent les traductions qui suivent. Et si l'homme savait le lire à travers les phrases d'une femme, il pourrait réagir en conséquence, si bien qu'elle sentirait enfin qu'il l'écoute réellement et qu'il l'aime.

Petit dictionnaire de conversation vénusien/martien

« **On ne sort jamais !** » signifie, en langue vénusienne : « J'ai envie de sortir, j'aimerais qu'on fasse quelque chose ensemble. J'aime être avec toi, je passe toujours de bons moments auprès de toi. Qu'en dis-tu ? Tu n'as pas envie de m'emmener dîner ? Ça fait longtemps qu'on n'a rien fait, non ? »

Mais sans traduction, cela résonne aux oreilles d'un homme comme : « Tu ne fais pas ton devoir à mon égard. Tu me déçois beaucoup. On ne fait plus rien ensemble parce que tu n'es pas romantique et que tu es devenu pantouflard. En fait, je m'ennuie avec toi ! »

« **Personne ne se préoccupe de moi !** » veut dire, en langage vénusien : « Aujourd'hui, je me sens ignorée et abandonnée, j'ai l'impression de passer inaperçue. Bien sûr, je sais qu'il y a des gens qui voient que je suis là, mais cela semble les laisser indifférents. Ils se moquent de ma présence et de mon existence. Je suis aussi un peu déçue que tu aies été si occupé ces derniers temps. Je sais que tu as beaucoup de travail et de responsabilités, mais parfois je me demande si tu t'intéresses encore à moi. Ton travail t'accapare tellement plus que moi... J'ai besoin que tu me serres fort dans tes bras et que tu me dises que tu m'aimes encore. »

Pourtant, au premier abord, Monsieur entendra plutôt : « Je suis malheureuse car je ne parviens pas à obtenir l'attention dont j'ai besoin. Même toi qui devrais m'aimer, tu ne fais plus attention à moi. Tu devrais avoir honte. Moi, jamais je ne te traiterais comme ça. »

Dans la bouche d'une femme, « **Je suis si fatiguée que je ne peux plus rien faire** » signifie : « Je me suis tellement démenée aujourd'hui que j'ai besoin de me reposer avant de pouvoir faire autre chose. Heureusement que tu es là pour me soutenir. Tu veux bien me serrer contre toi et me dire que je fais du bon travail et que je mérite de me reposer ? »

Malheureusement, l'homme non averti traduit cela par : « C'est moi qui fais tout ici pendant que toi tu ne fais rien, et j'en ai assez. Tu devrais m'aider. Je ne peux pas tout faire toute seule. Si seulement je partageais la vie d'un homme véritable... j'ai commis une erreur en te choisissant. »

« **J'en ai marre de tout !** » signifie, en vénusien : « J'aime mon travail et j'aime ma vie, mais aujourd'hui je me sens dépassée et j'aimerais pouvoir souffler un peu avant de reprendre le collier. Pourrais-tu me demander ce qui ne va pas, puis simplement m'écouter avec compassion, sans essayer de me suggérer une solution ? J'aimerais seulement être sûre que tu comprends le poids qui repose sur mes épaules. Je me sentirais tellement mieux ; ça m'aiderait à me détendre, et demain je pourrais recommencer à assumer toutes mes responsabilités et à m'occuper de tout ce dont je dois m'occuper. »

Sans traduction, l'homme entend : « Je dois faire tant de choses que je n'ai pas envie de faire ! Tu me déçois terriblement. J'aimerais un meilleur partenaire, capable de rendre ma vie plus satisfaisante. Tu fais très mal ton devoir. »

En vénusien, « **La maison est toujours en désordre** » veut dire : « Aujourd'hui, j'aurais envie de me reposer, mais la maison est dans un tel état que je ne le peux pas et cela me frustre. J'ai besoin de repos et j'espère que tu ne t'attends pas que je nettoie tout maintenant. Pourrais-tu me dire, toi aussi, que tu trouves la maison en désordre, et que tu es prêt à m'aider à la ranger ? »

Sans traduction, l'homme pourrait entendre : « La maison est en désordre à cause de toi. Je fais tout mon possible pour la nettoyer mais chaque fois, avant même que j'aie fini, tu la remets en désordre. Tu es un paresseux et j'en ai assez. Range, ou je ne réponds plus de rien ! »

Quand une Vénusienne dit : « **Plus personne ne m'écoute** », elle pense : « Je crains de t'ennuyer et de ne plus t'intéresser. Je dois être hypersensible, aujourd'hui ; en tout cas, j'aimerais que tu me portes une attention spéciale. J'ai eu une rude journée et il me semble que personne ne veut écouter ce que j'ai à dire, pas même toi. J'aimerais que tu me poses des questions qui montrent que tu es intéressé, comme : "Qu'est-ce que tu as fait aujourd'hui ?", "Qu'est-ce qui s'est passé ?", "Comment t'es-tu sentie ?", "Qu'est-ce que tu voulais ?", ou : "Et ensuite, comment te sentais-tu ?"... J'aimerais aussi que tu m'offres ton soutien en me disant des choses affectueuses et rassurantes, comme : "Parle-m'en donc" ou : "Tu as raison" ou encore : “Je comprends”, ou alors que tu m’écoutes seulement et, au moment où je fais une pause, que tu me rassures avec un “Oui !”, “D’accord !” ou même un “Bravo !” à l’occasion. »

Les Martiens ne connaissaient absolument pas ce genre d’expression dans leur monde sur Mars. Donc, quand sa femme lui dit : « Plus personne ne m’écoute », l’homme comprend : « Moi, je porte attention à ce que tu dis mais toi tu ne m’écoutes pas. Pourtant, tu m’écoutais avant, mais tu es devenu bien ennuyeux. Moi qui rêve de partager mon existence avec un homme amusant et intéressant, je suis mal servie. Tu me déçois ; tu n’es qu’un égoïste, un indifférent et un bon à rien ! »

Venant d’une femme, l’expression « **Rien ne marche !** » signifie : « Je suis dépassée aujourd’hui. Heureusement que je peux partager mes sentiments avec toi ; ça m’aide beaucoup. J’ai vraiment l’impression que rien de ce que je fais ne réussit aujourd’hui. Je sais que ce n’est pas tout à fait vrai, mais c’est l’impression que j’ai quand je m’énerve en voyant tout ce qu’il me reste à faire. J’aimerais tant que tu me serres dans tes bras et que tu me dises que je fais du bon travail ! Cela me ferait tant de bien ! »

Mais sans cette traduction, son conjoint risque de comprendre : « Tu ne fais jamais rien de bon. Je ne peux pas avoir confiance en toi. Si je ne t’avais pas écouté, je ne serais pas dans ce pétrin. Un autre homme saurait arranger les choses, mais toi tu ne fais que les compliquer davantage. »

En vénusien, « **Tu ne m’aimes plus !** » veut dire : « Aujourd’hui j’ai l’impression que tu ne m’aimes plus. J’ai peur de t’avoir sans le vouloir repoussé. Au fond de moi, je sais bien que tu m’aimes – tu en fais tellement pour moi ! – mais je souffre un peu d’insécurité aujourd'hui. Je voudrais que tu me rassures sur ton amour, et que tu me dises cet amour. Tu sais le bien que ça me fait ! »

Sans cette traduction, l'homme entend : « Je t'ai donné les meilleures années de ma vie, mais tu ne m'as rien donné en retour, tu m'as simplement utilisée. Tu es égoïste et indifférent, tu ne fais que ce qui te plaît et tu ne te préoccupes de personne d'autre que toi. J'ai été idiote de t'aimer ; maintenant, il ne me reste plus rien. »

« **On est toujours en retard !** » est pour une femme une façon de dire : « Tout va trop vite aujourd'hui, je n'aime pas courir comme ça. J'aimerais qu'on ne soit pas toujours aussi pressés dans la vie. Je sais bien que ce n'est pas ta faute et je ne te blâme pas, je sais que tu fais ton possible pour qu'on soit toujours à l'heure, et je l'apprécie, mais j'aurais besoin que tu me soutiennes. Par exemple, tu pourrais me dire que tu sais que c'est fatigant d'être toujours pressé, et que toi non plus tu n'aimes pas courir en permanence. »

Malheureusement, son partenaire ne saisira pas toutes ces nuances. Pour lui, cette phrase pourrait se traduire par : « Si tu étais moins irresponsable et si tu ne faisais pas toujours tout à la dernière minute, nous n'en serions pas là. Je ne suis jamais heureuse avec toi car nous passons notre vie à courir pour ne pas être en retard. Tu gâches tout avec cela. Je suis tellement plus heureuse et détendue quand tu n'es pas près de moi ! »

« **J'aimerais que tu sois plus romantique avec moi** » signifie : « Chéri, tu as énormément travaillé ces derniers temps, on devrait prendre un peu de temps pour nous deux, tout seuls. J'aime beaucoup quand on peut se reposer et passer du temps ensemble, loin des enfants et du bureau. Tu sais être si romantique ! J'aimerais que bientôt tu me surprennes avec des fleurs et que tu m'emmènes quelque part ; j'adore quand tu me fais la cour ! »

Encore une fois, sans traduction, les mêmes mots veulent dire autre chose. Pour un homme, ils résonnent plutôt comme : « Je veux plus d'amour. Tu ne me satisfais plus. Je ne suis plus attirée par toi car tu n'es vraiment pas à la hauteur en amour. En réalité tu ne m'as d'ailleurs jamais réellement satisfaite. J'aimerais tellement que tu sois comme d'autres hommes que j'ai connus ! »

Après avoir eu recours à ce dictionnaire pendant quelques années pour décoder les paroles de sa femme, l'homme n'a plus besoin d'y recourir chaque fois qu'il se sent blâmé ou critiqué. Il arrive à comprendre comment les femmes pensent, et comment elles réagissent. Il apprend à ne pas prendre leurs propos au pied de la lettre, parce qu'il sait qu'en réalité ces mots ne sont pour elles qu'un moyen d'extérioriser leurs sentiments.

C'est ainsi que les choses se passaient sur Vénus, et les habitants de Mars doivent s'en souvenir.

QUAND LES MARTIENS NE PARLENT PAS

Pour l'homme, interpréter correctement les dires de sa femme et la soutenir de manière adéquate lorsqu'elle cherche à s'exprimer constitue l'un des plus grands défis qui soient.

Mais pour la femme, le plus grand des défis, c'est de comprendre et d'accepter son conjoint quand il se mure dans le silence.

Le silence masculin est en effet une aussi grande source de malentendus que le langage féminin.

Il arrive très souvent qu'un homme cesse sans crier gare de communiquer pour se murer dans un silence obstiné. Ce comportement étant inconnu sur Vénus, sa femme commence par penser qu'il est devenu sourd : il ne réagit pas à ses paroles parce qu'il ne les entend pas.

On remarquera au passage la différence de traitement de l'information selon le sexe. La femme pense à voix haute, partageant ses découvertes avec celui ou celle qui lui prête son attention. Et souvent, cela lui permet d'affiner sa pensée. C'est ce processus, qui consiste à laisser jaillir ses idées librement en les exprimant tout haut, qui permet à la femme d'utiliser son intuition.

Chez l'homme, les choses se passent différemment. Avant de parler, il réfléchit et « digère » en silence tout ce qu'il a entendu ou expérimenté. Avant d'ouvrir la bouche, il cherche la meilleure réponse qu'il puisse donner et l'élabore soigneusement dans sa tête avant de l'exprimer. Ce processus peut durer quelques minutes, ou des heures. Et ce qui rend la chose encore plus déroutante pour la femme, c'est que si l'homme considère qu'il ne dispose pas de suffisamment d'informations pour formuler sa réponse, il peut ne pas répondre du tout !

Une femme devrait comprendre que le silence de son conjoint signifie : « Je ne sais pas encore quoi dire, mais j'y réfléchis. » Pourtant, son instinct la pousse à l'interpréter différemment, par exemple comme : « Je ne te réponds pas parce que tu ne m'intéresses pas. Comme ce que tu viens de dire n'a aucune importance, cela ne mérite pas de réponse. »

Comment la femme interprète le silence de l'homme

Le silence masculin est en général mal perçu par les femmes. Si elles sont d'humeur maussade, elles pourront même soupçonner le pire, comme : « Il me déteste, il ne m'aime plus, il va me quitter pour de bon. »

La femme réagit ainsi parce qu'elle-même ne recourt au silence que lorsque ce qu'elle voudrait dire est trop blessant, ou lorsqu'elle n'a plus confiance en quelqu'un et ne veut plus avoir affaire à lui. Quand on sait cela, il n'est guère surprenant qu'elle s'inquiète sérieusement du silence de son compagnon.

Quand son conjoint demeure silencieux, une femme imagine facilement le pire.

Quand une femme écoute une autre femme parler, elle l'assure constamment de son attention, en intervenant d'instinct à la moindre pause dans le récit de son interlocutrice avec des : « Oui ! », « Bien ! » ou « D'accord ! », ou encore, plus subtilement, par des hochements de tête ou des sourires. L'absence de ces petits signaux rassurants rend le silence de l'homme d'autant plus menaçant.

Tant qu'elle n'aura pas assimilé le principe de la grotte de l'homme, la femme continuera à se méprendre sur les silences de son partenaire, et à réagir maladroitement.

Cela est d'autant plus difficile à admettre pour une femme qu'une règle d'or vénusienne commande de ne jamais abandonner une amie en détresse. Tourner le dos à son Martien favori au moment où il est perturbé lui semble donc la négation de l'amour.

Ajoutez à cela qu'une femme se berce souvent de

l'illusion que si elle pouvait interroger son partenaire sur ses sentiments les plus intimes et écouter patiemment ses réponses, il se sentirait mieux (car, dans des circonstances similaires, elle-même réagirait favorablement à un tel traitement), et vous verrez l'abîme d'incompréhension qui les sépare. Car l'attitude pleine de bonnes intentions de sa compagne ne fait que perturber davantage notre Martien.

Les femmes et les hommes doivent cesser d'offrir à leur conjoint les signes d'amour qu'eux-mêmes souhaiteraient recevoir en période de difficulté. Ils et elles doivent avant tout assimiler les modes de pensée, de sentiment et de réaction du sexe opposé.

LORSQUE LES MARTIENS SE METTENT À PARLER

Nous l'avons vu, en se risquant à débusquer leur partenaire enfermé dans sa grotte, les femmes se font brûler par le dragon. C'est le cas non seulement quand elles interrompent le processus d'introspection d'un homme, mais aussi quand elles interprètent mal certaines de ses paroles qui indiquent qu'il est en route pour sa grotte ou qu'il y est déjà installé. Par exemple, quand on lui demande ce qui ne va pas, le Martien répond par une expression courte comme : « Ce n'est rien ! » ou : « Je vais très bien ! »

Ces subtils signaux d'alarme sont habituellement les seuls moyens dont dispose une Vénusienne pour détecter un besoin d'isolement chez son compagnon. Inutile d'espérer qu'il lui signale : « Je suis bouleversé et j'ai besoin que tu me laisses seul un moment. »

Le tableau suivant énumère six des signaux d'alarme le plus souvent lancés par les hommes, suivis de six « mauvaises » réponses féminines qui seront vécues par eux comme une intrusion et un refus de confiance.

SIX SIGNAUX D'ALARME ABRÉGÉS PARMI LES PLUS COURANTS

À une femme qui lui demande : « Qu'est-ce qui ne va pas ? »

un homme répondra :	**la femme insistera :**
« Ça va ! »	« Je sais que quelque chose te tracasse, qu'est-ce que c'est ? »
« Je vais bien ! »	« Tu as pourtant l'air troublé. Veux-tu en parler ? »
« Ce n'est rien ! »	« J'aimerais t'aider. Je sais que quelque chose t'ennuie. De quoi s'agit-il ? »
« Tout va bien. »	« Tu en es sûr ? Sinon, je pourrais t'aider. »
« Ce n'est pas grave ! »	« Mais il y a quelque chose qui te tourmente. Il faudrait qu'on en parle. »
« Il n'y a pas de problème ! »	« Mais si, il y a un problème. Puis-je t'aider ? »

Par ces brefs commentaires, l'homme demande à sa partenaire de faire semblant de le croire et de lui laisser un peu d'espace pour régler son problème seul.

Dans de tels moments, les Vénusiennes d'antan consultaient leur petit dictionnaire bilingue, qui leur évitait bien des faux pas. Les femmes modernes, qui ne bénéficient pas de cet outil, en commettent souvent. Quand leur conjoint leur dit : « Je vais très bien », ces dames doivent savoir que ce n'est là qu'une abréviation de ce qu'il voudrait réellement leur dire, c'est-à-dire : « Je vais très bien parce que je suis capable de régler ce problème-là seul. Je n'ai pas besoin d'aide. » Mais sans cette traduction, elles déduisent de ses propos qu'il essaie de nier ses problèmes. « J'aimerais mieux que tu ne t'inquiètes de rien et me laisses régler cela moi-même. » Ou ses propres sentiments. Elles s'efforcent alors de l'aider à les extérioriser en lui posant des questions, ou en lui parlant de ce qu'elles croient être le problème. Et il s'énerve.

Dictionnaire comparatif des phrases martiennes et vénusiennes

Le bref **« Ça va ! »** martien donnerait en vénusien : « Ça va ! Je suis capable de m'occuper de ce qui m'inquiète, je n'ai pas besoin d'aide, merci ! »

Mais si elle ignore ces subtilités de traduction, la femme comprendra : « Je ne suis pas troublé parce que ça ne me fait rien » ou bien : « Je ne veux pas partager mon irritation avec toi parce que je ne crois pas que tu puisses m'aider. »

L'énergique **« Je vais bien ! »** proféré par un Martien se traduirait en vénusien par : « Je vais très bien parce que je suis en train de régler mon problème seul. Si j'ai besoin de ton aide, je te la demanderai. »

Mais sa compagne pourrait entendre : « Je me fiche de ce qui est arrivé. Ce problème n'est pas important pour moi. Et même si ça t'énerve, c'est comme ça ! »

Un **« Ce n'est rien ! »** martien donnerait, une fois transposé en langue vénusienne : « Il n'y a rien dans ce qui me dérange que je ne sois capable de régler tout seul, ne me pose plus de questions là-dessus. »

Encore une fois, sans cette traduction, elle saisira

plutôt : « Je ne sais pas ce qui me dérange, j'ai besoin que tu m'interroges pour savoir ce qui se passe. » Et, sans penser à mal, elle ajoutera encore à son agacement en le bombardant de questions, alors qu'il n'aspire qu'à un peu de tranquillité.

Le « **Tout va bien** » du Martien s'exprimerait en vénusien par : « Il y a un problème mais tu n'y es pour rien et si tu m'accordes un peu de temps je le résoudrai fort bien tout seul, mais par pitié ne viens pas interrompre mon processus de réflexion avec de nouvelles questions ou ton écoute compatissante. Agis simplement comme s'il ne se passait rien et j'arriverai à tout régler plus efficacement. »

Sans traduction, ce « Tout va bien » peut être interprété par la femme comme : « C'est comme ça et ça ne changera jamais, même si nous nous insultons jusqu'à la fin des temps. » Ou bien elle le traduira par : « Ça va pour cette fois, mais rappelle-toi que tout est ta faute et ne recommence pas, sinon... »

« **Ce n'est pas grave !** » se dit en vénusien : « Ce n'est pas grave parce que je suis capable de tout arranger. Je t'en prie, ne continue pas à parler de ça parce que ça m'énerve encore plus. J'ai pris sur moi de résoudre ce problème, et ça me rend heureux de le régler. »

Sans traduction officielle, elle comprendra : « Tu fais tout un plat pour rien ; ce n'est pas grave. Arrête de réagir de manière aussi excessive. »

La traduction vénusienne du viril « **Il n'y a pas de problème !** » martien serait : « Je n'ai pas de problème pour effectuer ou pour régler telle chose ; je t'offre ce cadeau avec plaisir. »

Mais, sans traduction, la femme entendra : « Ceci n'est pas un problème ; pourquoi en crées-tu un ? »

En général, elle commettra alors l'erreur d'expliquer à son conjoint pourquoi elle considère que « ceci » est bien un problème.

Ce dictionnaire comparatif peut aider les femmes à comprendre ce que les hommes veulent dire quand ils s'expriment en langage abrégé. Elles découvriront parfois qu'ils veulent dire exactement le contraire de ce qu'elles auraient compris sans traduction.

Des mots magiques pour montrer son amour à son partenaire

Les mots magiques qui rassurent l'homme sont : « Ce n'est pas ta faute ! » Quand une femme veut parler de ce qui la trouble à son partenaire, elle peut quand même lui montrer qu'elle l'aime en s'arrêtant occasionnellement pour l'encourager et dire, par exemple : « J'apprécie vraiment que tu m'écoutes, et si tu penses que je te fais des reproches, je veux que tu saches qu'il n'en est rien, parce que je sais que tu n'y es pour rien. » Quand elle parle de ses problèmes à son partenaire, la femme pourra ménager sa susceptibilité si elle arrive à comprendre sa tendance à culpabiliser.

L'autre jour, ma sœur m'a appelé pour me raconter les difficultés qu'elle était en train de vivre. En l'écoutant, je me disais que, pour pouvoir la soutenir, je devais me garder de lui proposer des solutions ; elle avait seulement besoin d'une oreille compatissante. Et de fait, après dix minutes de « Ah ! », de « Bon ! » et de « Vraiment ? », je l'ai entendue me dire : « Merci, John ! Cela m'a fait beaucoup de bien de te parler. » Bien sûr, il avait été d'autant plus facile pour moi de l'écouter que je savais bien qu'elle ne me reprochait rien, et qu'elle blâmait quelqu'un d'autre. C'est plus difficile de faire la même chose avec ma femme, parce que, avec elle, j'appréhende toujours de recevoir un reproche. Toutefois, lorsqu'elle m'encourage à l'écouter en m'en sachant gré, je deviens un très bon auditeur.

Que faire quand on a envie de blâmer l'autre

Pour une femme, rassurer son partenaire en lui disant qu'il n'est pas responsable de ses malheurs et qu'elle ne lui reproche rien n'est efficace que si, effectivement, elle n'émet à son encontre ni blâme, ni désapprobation, ni critique. Si elle ne peut se retenir de l'attaquer, elle fera mieux de parler de ses problèmes à une autre personne. Elle reprendra le dialogue avec lui une fois rassérénée, plus aimante et encline au pardon. Dans le chapitre 11, nous verrons plus en détail comment nous y prendre pour communiquer nos sentiments les plus délicats.

Comment écouter sans faire de reproches

Il arrive souvent qu'un homme reproche à sa compagne de le blâmer, alors qu'elle ne fait que raconter innocemment ses problèmes. C'est une attitude très nuisible pour le couple, parce qu'elle inhibe la communication.

Imaginez une femme disant : « Nous ne faisons plus que travailler, travailler et encore travailler. Nous ne nous amusons plus comme avant. Tu es devenu trop sérieux. » Un homme peut facilement s'offusquer de telles remarques.

Si c'est le cas, je lui conseillerais d'éviter de la blâmer en retour en répondant : « J'ai l'impression que tu me le reproches. »

Je lui suggérerais plutôt de dire : « Cela me fait mal de t'entendre dire que je suis trop sérieux. Penserais-tu que c'est ma faute si on ne s'amuse plus ? » Ou : « Ça me fait tout drôle d'entendre que je suis trop sérieux et qu'on ne s'amuse plus. Veux-tu dire que tout ça est ma faute ? »

Toutes ces interventions sont respectueuses des sentiments de la femme et la mettent en position de nier avoir reproché quoi que ce soit à son conjoint. Et en entendant sa femme se récrier : « Oh non ! Je ne dis pas que c'est ta faute ! », l'homme se sentira probablement soulagé.

Une autre approche que je trouve très utile est celle qui consiste à se rappeler que la femme a toujours le droit d'être bouleversée, et qu'après en avoir parlé elle se sent toujours mieux. Pour ma part, cette maxime m'aide à me détendre car je sais que si j'arrive à écouter ma femme sans me sentir visé, elle me sera reconnaissante de l'avoir soutenue quand elle en avait vraiment besoin. Et même si elle devait me reprocher quelque chose, il y a de grandes chances pour que ça ne dure pas bien longtemps.

L'art d'écouter

Pour l'homme, apprendre à écouter et à interpréter correctement les sentiments de sa femme peut faciliter la communication. Comme tout art, l'écoute demande de la pratique. C'est pourquoi, chaque jour, en rentrant à la maison, je prends soin de demander à Bonnie comment sa journée s'est passée.

Si elle semble énervée après un après-midi harassant, je vais d'abord avoir l'impression qu'elle me rend en partie responsable de son état et qu'elle m'en fait le reproche. Relevant le défi, je m'efforce de ne pas le prendre comme une attaque personnelle, et de ne pas me méprendre sur le sens de ses paroles. J'y arrive en me rappelant qu'elle ne parle pas le même langage que moi. En poursuivant la conversation par : « À part ça, qu'est-ce qui s'est passé ? », je découvre ensuite qu'elle a beaucoup d'autres préoccupations. Et graduellement, je réalise que je ne suis pas responsable de tous ses déboires. Après un petit moment, je sens qu'elle apprécie pleinement ma patience.

Bien qu'écouter s'apprenne, certains jours l'homme est trop sensible ou trop stressé pour pouvoir interpréter correctement le sens des phrases de sa femme. Dans ces moments-là, il ne devrait même pas essayer de l'écouter, mais plutôt dire : « Ce n'est pas le moment. Si tu veux, nous en reparlerons plus tard. »

Parfois, l'homme s'aperçoit qu'il n'est pas en état d'écouter au moment où la femme a déjà commencé à parler. Si prêter l'oreille à ses tracas lui est pénible, il ne doit pas se forcer à continuer, au risque de voir sa frustration augmenter, ce qui ne peut rien donner de bon, ni pour elle ni pour lui. Dans ce cas, il serait beaucoup mieux inspiré de suggérer : « Écoute, je suis vraiment intéressé par tout ce que tu as à me raconter, mais à l'instant présent j'ai du mal à t'écouter. Je sens que j'ai besoin de temps pour réfléchir à ce que tu viens de me dire. »

Depuis que Bonnie et moi avons appris à communiquer d'une manière qui tienne compte de nos différences et de nos besoins respectifs, notre relation de couple est devenue bien plus facile. Et j'ai vu cette même transformation s'opérer chez des milliers d'autres individus et de couples. Toutes les relations entre êtres humains s'épanouissent lorsqu'elles s'appuient sur des rapports basés sur la tolérance et le respect des différences fondamentales des partenaires.

Quand des malentendus surviennent, souvenez-vous que nous parlons des langages différents, et prenez le temps nécessaire pour interpréter le véritable sens de ce que votre partenaire désire, ou veut dire. Cela vous demandera un certain entraînement, mais cela en vaut vraiment la peine.

CHAPITRE 5

Les hommes sont comme des élastiques

Oui, les hommes ressemblent à des élastiques : lorsqu'ils se réfugient dans leur grotte, ils ne peuvent s'y enfoncer que jusqu'à un certain stade avant d'être ramenés à leur point de départ. L'élastique est donc le symbole idéal pour nous aider à comprendre le cycle de l'intimité masculine, cycle fait d'un rapprochement suivi d'un éloignement, puis d'un nouveau rapprochement plus serré.

Même quand un homme adore une femme, il éprouve de temps à autre le besoin de s'isoler, pour mieux revenir auprès d'elle par la suite.

C'est étonnant pour la plupart des femmes. Ce retrait est instinctif chez l'homme ; il n'est aucunement délibéré, ni pensé. Ce n'est ni sa faute à lui ni sa faute à elle. Il s'agit d'un cycle naturel.

Si la femme interprète mal ce retrait de l'homme, c'est que quand elle-même choisit de s'isoler, c'est pour des raisons bien différentes. Elle s'isole quand elle doute des sentiments de son partenaire, quand elle se sent blessée ou craint d'être blessée davantage, et quand il l'a déçue en faisant quelque chose d'incorrect.

Bien sûr, un homme peut s'isoler pour les mêmes raisons, mais il le fait bien plus souvent sans raison particulière et quels que soient ses rapports avec sa partenaire. Tel un élastique, il va d'abord prendre de la distance, puis revenir de lui-même.

Quand il est au maximum de son éloignement, son envie d'amour et d'intimité renaît tout à coup, ainsi que le désir de reprendre contact avec celle qu'il aime. Leur relation redémarrera au même niveau d'intimité qu'au moment de son départ. Il n'a donc pas besoin d'une période de réintégration ou de rattrapage.

CE QUE TOUTE FEMME DEVRAIT SAVOIR AU SUJET DES HOMMES

Lorsqu'il est bien compris, ce cycle de l'intimité masculine peut enrichir une relation mais, étant donné qu'il est fréquemment mal interprété, il est en fait souvent la source de problèmes inutiles. Voyons-en un exemple.

Maggie est entrée un jour dans mon cabinet désespérée, anxieuse et perdue. Elle fréquentait son ami Jeff depuis six mois, et tout allait pour le mieux... jusqu'à ce qu'il se mette brusquement, sans raison apparente, à prendre ses distances avec elle. La pauvre Maggie n'y comprenait rien. « Un instant il était attentif à mes moindres désirs, me raconta-t-elle, et l'instant d'après il ne voulait même plus me parler. J'ai tout essayé pour le reconquérir, mais mes efforts ne semblent qu'envenimer la situation. Que lui ai-je fait pour qu'il se montre si lointain ? Est-ce que je suis si mauvaise que ça ? »

Lorsque Jeff a commencé à prendre ses distances,

Maggie s'est sentie personnellement visée. C'est là une réaction courante. Elle a essayé de redresser la situation, mais plus elle tentait de se rapprocher de Jeff, et plus il lui échappait.

Après avoir assisté à mon séminaire, Maggie s'est trouvée fort soulagée. Son angoisse s'était dissipée et, plus important encore, elle avait cessé de culpabiliser. Elle avait compris que ce n'était pas du tout à cause d'elle que Jeff s'était éloigné. Elle a aussi appris pourquoi il s'isolait et comment réagir élégamment à une telle situation. Quelques mois plus tard, lors d'un autre séminaire, Jeff m'a remercié d'avoir enseigné ces choses à Maggie. Il m'a appris qu'ils étaient maintenant fiancés et allaient bientôt se marier. Maggie avait découvert un secret que bien peu de femmes connaissent...

Quand elle tentait de se rapprocher de Jeff au moment où celui-ci cherchait à s'isoler, elle l'empêchait d'aller jusqu'au bout de son élastique, retardant d'autant son retour. Tant qu'elle le poursuivait de la sorte, il ne pouvait prendre conscience du besoin qu'il avait d'elle. Elle réalisa alors qu'elle avait agi de la même façon dans toutes ses relations passées. Sans le savoir, elle avait entravé un cycle naturel essentiel. Et en essayant de maintenir à tout prix l'intimité, elle l'avait rendue impossible.

La transformation subite d'un homme

Dans mes séminaires, j'utilise un gros élastique pour faire la démonstration de ce principe. Imaginez que vous tenez cet élastique entre vos mains, et que vous commencez à l'étirer. Il peut aller jusqu'à une longueur de trente centimètres. Une fois cette limite atteinte, vous ne pouvez plus exercer de traction et vous devez revenir en arrière. L'élastique ne vous résiste plus et il se rétracte avec beaucoup de force et d'énergie.

De la même manière, lorsqu'un homme s'est éloigné jusqu'à sa distance maximale, il ne peut que revenir à son point de départ avec beaucoup de force et d'énergie. Cependant qu'il s'éloigne, une transformation s'opère en lui. Son attitude change. Alors qu'il semblait de moins en moins intéressé ou attiré par sa partenaire, il s'aperçoit soudain de son incapacité à vivre sans elle. Sa soif d'intimité renaît, de même que son désir d'aimer et d'être aimé.

Ce processus est généralement déconcertant pour une femme, parce que lorsqu'elle-même prend ses distances avec une relation amoureuse, elle est incapable de revenir au degré d'intimité antérieur sans passer par une phase de transition. Et si elle connaît mal les spécificités masculines, elle pourra être tentée de se méfier de ce désir d'intimité soudainement retrouvé par son mari, et de repousser ses avances. Les hommes doivent quant à eux comprendre que, quand ils reviennent à toute vitesse vers leur bien-aimée, celle-ci aura souvent besoin d'un peu de temps avant d'être à nouveau capable de les accueillir à bras ouverts, surtout si elle a été blessée par leur départ. Si l'homme ne saisit pas ce besoin, il s'impatientera de voir que, bien qu'il soit redevenu disponible et prêt à reprendre la relation intime au point où il l'avait laissée, sa bien-aimée ne lui reconnaît pas ce droit.

Pourquoi un homme s'isole

L'homme n'arrive à éprouver son besoin d'autonomie et d'indépendance qu'une fois que son besoin d'intimité est satisfait. Invariablement, dès qu'il s'éloigne, la femme commence à paniquer. Elle ne sait pas qu'après s'être éloigné pour satisfaire son besoin d'autonomie, il voudra immédiatement revenir auprès d'elle. Elle ne comprend pas que les désirs de l'homme oscillent entre l'intimité et l'autonomie.

L'homme oscille perpétuellement entre son désir d'intimité et son souci d'autonomie.

Reprenons l'exemple de Jeff. Au début de sa relation avec Maggie, il était très amoureux et tout fringant. Il rêvait d'impressionner Maggie, de lui plaire, de la rendre heureuse et d'être aussi proche d'elle que possible. Comme elle partageait ces désirs, elle l'accueillit dans son intimité. Pourtant, après une courte période de bonheur sans nuages, Jeff parut changer du tout au tout.

De même qu'un élastique qu'on relâche perd toute l'énergie et la puissance qu'il possédait quand il était étiré au maximum, le désir de rapprochement de l'homme s'étiole une fois que celui-ci est dans l'intimité de la femme qu'il aime.

Bien que l'homme tire beaucoup de satisfaction de cette intimité, il commence à ressentir un urgent et irrépressible besoin de s'éloigner d'elle. Ayant temporairement comblé son besoin d'intimité, il voit son besoin d'indépendance se réveiller. Il a envie d'être seul, de ne plus devoir compter sur personne. Il peut avoir l'impression d'être devenu trop dépendant, ou même ne pas savoir expliquer son désir de partir.

Pourquoi les femmes paniquent

Quand Jeff suit son instinct et cherche à s'éloigner sans raison apparente, Maggie panique et court après lui. Elle pense avoir fait quelque chose pour le détourner d'elle et redoute qu'il ne revienne pas.

Et comme elle n'a aucune idée de la nature de sa

« faute », elle se sent impuissante à reconquérir Jeff. Elle ne sait pas que son retrait n'est qu'une manifestation de son cycle d'intimité. Lorsqu'elle lui demande ce qui se passe, il n'a pas de réponse nette à lui donner, et refuse d'en parler. Et il continue irrémédiablement à s'éloigner d'elle.

Pourquoi les hommes et les femmes doutent de leur amour

S'ils ne comprennent pas ce cycle de l'intimité masculine, il est clair que les hommes et les femmes se mettent à douter de leur amour. Si elle ignore que son attitude empêche Jeff de retrouver son besoin d'intimité, Maggie déduira de son comportement qu'il ne l'aime plus. Et s'il ne parvenait pas à s'isoler pour le retrouver, Jeff pourrait facilement penser que, tout simplement, il n'aime plus Maggie.

Après avoir appris à laisser de l'espace à Jeff, à le laisser prendre ses distances, Maggie s'aperçut qu'il revenait toujours. Elle s'exerça à ne pas courir après lui lorsqu'il commençait à s'éloigner, et à se dire que tout irait bien. Et il est toujours revenu.

À mesure que sa confiance en elle a grandi, sa sensation de panique a disparu. Elle ne pensait pas porter la responsabilité de la froideur de son ami, mais l'avait acceptée comme une facette du caractère de Jeff. Plus elle se montrait conciliante, plus vite il lui revenait. De son côté, Jeff, s'étant familiarisé avec ses sentiments et ses besoins, devint plus confiant en amour et plus enclin à s'engager sérieusement. Le secret du bonheur de Maggie et de Jeff, c'est qu'ils ont compris et accepté le fait que les hommes sont comme des élastiques.

LES FEMMES INTERPRÈTENT MAL LES RÉACTIONS DES HOMMES

La théorie de l'élastique illustre comment l'homme peut très bien aimer sa partenaire et lui tourner quand même subitement le dos. Lorsqu'il s'échappe ainsi, ce n'est pas parce qu'il ne veut pas parler, mais parce qu'il a besoin de se retrouver seul et de ne plus se sentir responsable de quelqu'un d'autre pendant un certain temps. C'est le moment où il s'occupe de lui-même. Et quand il sort de son isolement, il redevient accessible au dialogue.

Dans une certaine mesure, un homme perd une partie de son identité en se fondant dans le couple. En s'associant aux besoins, aux problèmes, aux espérances et aux émotions de sa compagne, il perd un peu le contact avec sa propre réalité. En s'éloignant, il peut redéfinir ses limites personnelles et satisfaire son besoin d'autonomie.

L'intimité avec sa partenaire fait perdre à l'homme une partie de son identité.

Toutefois, certains hommes décrivent différemment le retrait masculin. Ils parlent d'un « besoin d'espace » ou d'un « besoin de solitude ». Mais peu importe le nom qu'on donne au phénomène : quand un homme s'isole, il satisfait son besoin légitime de s'occuper de lui-même pour un temps.

De même que personne ne décide d'avoir faim, un homme ne décide pas de prendre du recul sur sa relation. Il répond à une pulsion instinctive. Il est seulement capable de se rapprocher de l'autre jusqu'à un certain point, après quoi il s'enfonce dans l'incertitude. Et c'est à ce moment précis que son besoin d'autonomie refait surface et qu'il commence à s'isoler.

C'est uniquement en comprenant ce processus que la femme peut interpréter correctement l'éloignement de l'homme.

Pourquoi les hommes fuient quand les femmes se rapprochent

Selon beaucoup de femmes, l'homme a tendance à s'éloigner précisément au moment où sa partenaire recherche l'intimité et le dialogue. Et cela peut se produire pour deux raisons :

1 – Inconsciemment, une femme perçoit que l'homme est sur le point de s'éloigner et, à ce moment précis, elle cherche à rétablir l'intimité de leur relation en disant : « Viens, on va parler. » Et comme il continue à s'éloigner, elle conclut à tort qu'il ne veut pas dialoguer ou qu'il ne tient pas à elle.

2 – Lorsqu'une femme soulève des problèmes ou émet des sentiments de plus en plus intimes et profonds, cela déclenche chez l'homme un besoin de fuir. Quand l'homme atteint un certain niveau d'intimité, son système d'alarme se déclenche et l'avertit qu'il est temps de rééquilibrer les choses et de prendre du recul. Au maximum de l'intimité, l'équilibre des besoins de l'homme semble soudainement et automatiquement basculer du côté de l'autonomie, le poussant à rechercher la solitude.

La femme peut aussi être traumatisée par l'éloignement de son partenaire lorsqu'il se produit alors qu'elle vient de dire ou de faire quelque chose de précis. Souvent, l'homme ressent le besoin de partir au moment où le discours de la femme a une connotation émotionnelle. C'est parce que les sentiments rapprochent et créent de l'intimité que, au moment où l'homme se sent trop sérieusement engagé, il s'éloigne à coup sûr.

Il ne s'échappe pas parce qu'il refuse d'entendre sa compagne parler de ses sentiments, puisque dans la phase symétrique de son cycle d'intimité, les mêmes sentiments qui l'incitent à la fuir le pousseront à se rapprocher d'elle. En somme, ce n'est pas « ce qu'elle dit » mais « le moment où elle le dit » qui le porte à fuir.

QUAND PARLER À UN HOMME

Quand un homme est sur le point de rentrer en lui-même, ce n'est pas le moment de lui parler ni d'essayer de se rapprocher de lui. Il faut le laisser faire. Après un certain temps, il redeviendra disponible, aimant et coopératif, comme s'il ne s'était rien passé. C'est là le meilleur moment pour lui parler.

Malheureusement, la femme profite rarement de ce moment privilégié pendant lequel l'homme est le plus disposé à parler et recherche l'intimité pour engager la conversation. Il y a trois raisons à cela :

1 – La femme a peur de lui parler, parce que la dernière fois qu'elle a essayé de le faire il l'a repoussée. Elle pense à tort qu'elle ne l'intéresse pas et qu'il ne voudra pas l'écouter.

2 – La femme craint que son partenaire ne lui en veuille et elle attend qu'il se montre disposé à partager ses sentiments avec elle. Elle sait que si elle prenait du champ comme il vient de le faire, il lui faudrait, avant de retrouver une intimité digne de ce nom, parler de ce qui

s'est passé. Elle suppose qu'il en va de même pour son partenaire et attend qu'il décide lui-même d'aborder la question. Ce qui, bien entendu, n'arrivera pas, puisque notre homme se sent parfaitement serein.

3 – La femme a tellement de choses à dire qu'elle ne veut pas paraître effrontée en se mettant subitement à parler. Par politesse, au lieu de parler de ses propres pensées et sentiments, elle commet l'erreur de lui poser des questions sur ses sentiments à lui. Et quand elle voit qu'il n'a rien à dire, elle en déduit qu'il ne veut pas discuter avec elle.

Quand on analyse toutes ces conclusions erronées, il n'est pas surprenant de voir tant de femmes frustrées par l'attitude de leur époux.

COMMENT FAIRE PARLER UN HOMME

Lorsqu'une femme a envie de discuter, ou ressent le besoin de se rapprocher de son partenaire, elle devrait entamer la conversation au lieu d'attendre qu'il se mette à parler. Pour prendre l'initiative de la conversation, elle doit la première se montrer prête à partager ses pensées, ses souhaits et ses doutes, même si son partenaire n'a pas grand-chose à dire en retour. Il faut préciser que les Martiens n'aiment pas parler pour le plaisir de bavarder, il leur faut une raison pour discuter. Cela ne les empêche pas de se montrer disposés à écouter leur compagne. Puis, peu à peu, encouragé par la gratitude que sa moitié lui manifeste quand il prête une oreille attentive, l'homme ouvre son cœur et voit sa langue se délier, notamment pour commenter ce qu'elle vient de lui dire.

Ainsi, si elle lui fait part des difficultés de sa journée, il pourra se mettre à lui raconter les siennes, et ils auront de fortes chances de se comprendre. Et si elle lui raconte comment elle s'entend avec les enfants, il pourra lui aussi parler de ses sentiments envers les enfants. À mesure qu'elle se confiera et qu'il ne sentira aucune pression ni aucun reproche, il commencera petit à petit à se confier également.

Comment les femmes font pression sur les hommes

Comme on vient de le voir, les confidences de sa femme peuvent conduire un homme à parler à son tour. Mais dès qu'il la soupçonne d'essayer de le forcer à parler, ses idées s'embrouillent et il n'a plus rien à dire. Et même s'il a quelque chose à dire il restera muet, parce que l'insistance de sa femme lui déplaît.

L'homme déteste que sa femme tente de le forcer à parler. En faisant cela elle le bloque sans le savoir, surtout quand il n'éprouve aucune envie de bavarder. Malheureusement pour lui, sa compagne imagine, à tort, qu'il a sûrement besoin de parler, et que par conséquent il devrait le faire.

Oubliant qu'un Martien ressent rarement ce genre de pulsion, elle se désole de sa réticence et en conclut que son partenaire ne l'aime plus. Rejeter un homme parce qu'il refuse de parler, c'est s'assurer qu'il ne dira jamais rien, puisque l'homme a besoin de se sentir accepté tel qu'il est avant de devenir peu à peu capable de parler. Et il ne risque pas de se sentir accepté tant que sa femme insistera pour qu'il parle davantage, ou qu'elle lui reprochera de s'éloigner d'elle.

En clair, plus une femme tentera de forcer un homme à parler, plus il lui résistera. L'attaque directe n'est pas la meilleure tactique en la matière, surtout si l'élastique est en phase d'étirement. Et au lieu de se demander comment briser le silence de son partenaire, la femme devrait plutôt se demander : « Comment puis-je arriver à plus d'intimité et à une meilleure communication avec lui ? »

Si une femme désire renforcer la communication au sein de son couple – et c'est ce que veulent la plupart des femmes –, elle peut très bien prendre l'initiative des discussions, mais elle doit le faire avec maturité : elle doit savoir accepter que son partenaire soit parfois disponible, et d'autres fois prêt à fuir ; elle doit même s'y attendre.

Dans les moments où Monsieur est disponible, au lieu de lui poser des dizaines de questions ou d'insister pour qu'il parle, Madame aura avantage à lui faire comprendre qu'elle apprécie sa présence même quand il ne fait qu'écouter. Au début, elle devrait même lui demander de ne pas parler.

Par exemple, Maggie pourrait dire : « Jeff, voudrais-tu seulement m'écouter un peu ? J'ai eu une dure journée et j'aimerais en parler, ça me ferait du bien. » Après avoir parlé pendant quelques minutes, Maggie pourrait s'arrêter et dire : « J'apprécie beaucoup que tu m'écoutes ; t'expliquer ce que je ressens, c'est important pour moi. » Ce genre de remarque encourage un homme à continuer à écouter.

De plus, si sa femme ne l'encourage jamais, l'homme risque de se démobiliser et de laisser son attention se relâcher, car il lui semblera que ses efforts n'apportent rien à sa compagne. Il ne réalise pas à quel point être entendue compte pour elle. La plupart des femmes le sentent instinctivement, mais on ne peut pas s'attendre qu'un homme le devine. Il faudrait pour cela qu'il réagisse comme une femme. Heureusement, s'il pressent que son écoute est appréciée, l'homme arrivera à comprendre l'importance du besoin de parler.

LORSQU'UN HOMME NE S'ÉLOIGNE JAMAIS

Lisa et Jim étaient mariés depuis deux ans, et ils faisaient tout ensemble. Ils ne se séparaient jamais. Jim devint progressivement plus passif, irritable, pointilleux et d'humeur changeante.

En consultation, Lisa m'avoua : « Je ne m'amuse plus avec lui. J'ai tout essayé pour qu'il redevienne comme avant, mais rien n'y fait. J'aimerais qu'on fasse de nouveau des choses intéressantes ensemble, comme aller au restaurant, au théâtre, faire les boutiques, voyager, danser, mais il ne veut rien savoir. On ne fait plus rien ; on regarde la télévision, on mange, on dort, puis on travaille, c'est tout. J'essaie bien de lui témoigner mon amour, mais je suis trop frustrée. Dire qu'il était si amoureux et romantique, avant ! Vivre avec lui, maintenant, c'est comme vivre avec une loque. Plus rien ne le fait bouger ! » Après avoir entendu parler du cycle de l'intimité masculine et de la théorie de l'élastique, Lisa et Jim ont réalisé ce qui leur arrivait : ils passaient trop de temps ensemble et avaient tous les deux grand besoin de prendre l'air.

Quand un homme reste constamment collé à sa femme, certains symptômes font inévitablement leur apparition, par exemple des sautes d'humeur, une certaine passivité, une irritabilité chronique et une attitude défensive. Jim n'avait jamais appris à se détacher de Lisa. Il se sentait coupable chaque fois qu'il la laissait seule. Il croyait qu'il devait toujours tout partager avec sa femme.

Lisa aussi pensait qu'ils devaient tout faire ensemble. En consultation, je lui ai demandé pourquoi.

Elle me répondit : « J'avais peur qu'il accepte mal que je fasse quoi que ce soit d'agréable sans lui. Une fois je suis allée faire du shopping seule et il était furieux. »

Et Jim s'empressa d'ajouter : « Je me souviens de ce jour-là. Je n'étais pas fâché contre toi, j'étais contrarié parce que j'avais perdu de l'argent dans une affaire. Je m'en souviens parce que je me rappelle avoir remarqué comme il était agréable d'avoir la maison pour moi tout seul. Je n'ai pas osé te le dire parce que j'ai pensé que ça allait te blesser. »

Lisa soupira : « Et moi qui croyais que tu ne voulais pas que je sorte sans toi... Tu paraissais si distant ! »

Devenir plus indépendants

Après que Lisa et Jim eurent découvert leurs véritables sentiments respectifs, Lisa apprit à ne plus se soucier autant de Jim, et ce dernier l'y aida de son mieux. Elle s'accorda plus de temps pour s'occuper d'elle-même et reprit l'habitude de faire seule des choses qui lui plaisaient, comme de voir ses amies. Et elle se sentit plus heureuse.

Son ressentiment pour Jim disparut. Elle comprit qu'elle avait trop exigé de lui. Grâce à la théorie de l'élastique, elle réalisa combien elle avait contribué à leur problème. Elle constata qu'il avait besoin de plus de temps sans elle, de solitude. Non seulement les sacrifices qu'elle avait faits par amour avaient empêché Jim de s'échapper de temps en temps pendant de courts instants, mais en plus sa dépendance avait étouffé l'homme qu'elle aimait.

De simples miracles

Ce qui a troublé Lisa, c'est la rapidité avec laquelle leur relation a changé. En deux semaines seulement, Jim redevint l'homme qu'elle avait épousé, aimant et attentif. Il reprit le goût de faire des choses amusantes avec elle et commença à planifier des sorties. Il avait retrouvé sa motivation.

Au cours d'une consultation, il m'a dit son bonheur : « Je me sens si soulagé ! Je me sens aimé. Quand Lisa rentre du travail, elle est heureuse de me voir. J'apprécie même qu'elle me manque lorsqu'elle est absente. Quel plaisir de recommencer à éprouver des sentiments ! J'en étais presque arrivé à oublier à quoi cela ressemblait. Avant, il me semblait que je ne faisais jamais rien assez bien ; Lisa essayait de me pousser dans telle ou telle voie par ses conseils ou ses questions. »

Et Lisa de rétorquer : « J'ai compris que je lui reprochais le fait que je me sentais malheureuse. En assumant mes sentiments, j'ai découvert que Jim était bien énergique et vivant. C'est comme un miracle ! »

COMMENT SON PASSÉ PEUT AFFECTER LE CYCLE D'INTIMITÉ D'UN HOMME

L'interruption du cycle naturel d'intimité d'un homme peut plonger ses racines jusque dans son enfance. Un homme peut craindre de se retirer en lui-même quand il en a besoin parce qu'il a été témoin de l'opposition de sa mère au besoin d'isolement de son père. Cet homme-là ne sait peut-être même pas que ce besoin de solitude est inné. Il se peut même qu'inconsciemment il provoque des disputes pour justifier son besoin de retrait.

Naturellement, un homme ainsi marqué développera davantage son côté féminin que sa puissance masculine. C'est un homme sensible. Il déploie beaucoup d'énergie pour être aimant et plaisant, au détriment de son identité masculine. Il se sent coupable de se détacher de sa compagne. Sans savoir ce qui lui arrive, il perd son désir, sa force et sa passion. Il devient passif et exagérément dépendant.

Il peut avoir peur de se retirer dans la solitude de sa grotte. Il peut penser qu'il n'aime pas la solitude mais, au fond de lui, il a plutôt peur de perdre l'amour de sa partenaire. Il a déjà vécu dans son enfance le rejet de son père, voire le sien, par sa mère.

Alors que certains hommes ne savent pas comment s'éloigner de leur femme quand ils en éprouvent le besoin, d'autres ne savent pas comment se rapprocher d'elle quand ils en ont besoin. L'homme macho par exemple n'a pas de difficultés à partir, mais il est incapable de revenir et de s'ouvrir au dialogue. Il se pourrait qu'au fond de lui se cache la crainte de ne pas être digne de l'amour d'une autre personne. Il a peur des liens et de l'intimité. Il ne sait pas qu'une femme pourrait l'accueillir à bras ouverts s'il lui en laissait l'occasion. L'homme sensible et le macho souffrent tous deux de l'absence dans leur vie d'images ou d'expériences positives liées à leur cycle d'intimité masculine.

Il est aussi important pour l'homme que pour la femme de comprendre le fonctionnement de ce cycle d'intimité. Certains hommes ressentent une grande culpabilité quand ils se réfugient dans leur grotte, ou dès qu'ils sont isolés, et reviennent au grand galop. Ils en déduiront peut-être à tort qu'ils ne sont pas normaux. C'est pourquoi ce peut être un grand soulagement pour un homme, comme pour une femme d'ailleurs, de comprendre ces secrets masculins.

CHAPITRE 6

Les femmes sont comme des vagues

Une femme est comparable à une vague car son moral monte et descend naturellement dans un mouvement semblable à celui de l'océan. Quand elle se sent parfaitement bien, on peut dire qu'elle surfe sur la crête de la vague, mais soudain elle va changer d'humeur et se retrouver au creux de la vague. Cet effondrement n'est que temporaire car, dès qu'elle atteint le fond de ce creux, son humeur recommence aussitôt à changer et elle reprend progressivement confiance en elle. Et automatiquement, elle revient sur la crête de la vague.

Quand la vague monte, la femme ressent un immense besoin de donner de l'amour et, quand elle redescend, elle ressent un énorme vide et un grand besoin d'amour. Arrivée au point le plus bas de son cycle, elle fait nécessairement le ménage dans ses émotions. Si elle a refoulé des sentiments négatifs ou s'est sacrifiée pour offrir davantage d'amour pendant la vague montante, en redescendant elle ressentira le poids de ces besoins inassouvis. C'est durant cette descente qu'elle a particulièrement besoin de parler de ses problèmes, d'être écoutée et d'être comprise.

Les émotions d'une femme montent et descendent comme une vague sur la mer. Arrivée au point le plus bas de ce cycle, elle fait nécessairement le ménage dans ses émotions.

COMMENT LES HOMMES RÉAGISSENT À LA VAGUE

Quand une femme est aimée par un homme, elle se met à rayonner d'amour et de contentement. La plupart des hommes ont la naïveté de croire que cet embrasement va durer éternellement. Mais s'attendre que l'humeur d'une femme, même amoureuse, ne change jamais revient à s'attendre que le temps reste toujours stable ou que le soleil brille sans discontinuer. Or la vie est faite de cycles rythmiques : le jour et la nuit, le chaud et le froid, l'hiver et l'été, le printemps et l'automne, les nuages et le soleil, etc. Les hommes et les femmes ont aussi leurs propres rythmes, leurs propres cycles.

Dans les relations humaines, les hommes s'éloignent, puis se rapprochent, alors que les femmes voient leur capacité d'amour croître et décroître tour à tour.

L'homme pense que les variations d'humeur de sa partenaire sont uniquement fonction de son comportement à lui. Quand elle est heureuse, il le met à son crédit, mais quand elle est déprimée, il se sent aussi responsable. Il peut donc se trouver extrêmement frustré lorsqu'il se sent incapable de corriger la situation. Un instant, sa femme semble heureuse, et il croit qu'il fait bien les choses, mais l'instant d'après elle paraît malheureuse. Il est stupéfait parce qu'il croyait contrôler la situation.

N'essayez pas de « réparer » votre femme

Pendant leurs six premières années de mariage, Bill s'efforça en vain de décrypter le cycle des vagues d'humeur de sa femme, Mary. Et, ne le comprenant pas, il cherchait par tous les moyens à y remédier, ce qui ne faisait évidemment qu'empirer les choses. Persuadé que ces mouvements cycliques résultaient d'une « panne » dans le système, il essayait de la convaincre qu'il n'était pas absolument nécessaire qu'elle se mette dans de tels états. Et Mary ne s'en sentait que plus incomprise et plus déprimée.

En cherchant à arranger les choses, Bill empêchait sa femme de jamais se sentir heureuse. Il avait besoin d'apprendre que c'est lorsque la femme descend dans le creux de la vague qu'elle a le plus besoin de l'homme et qu'il ne s'agissait pas d'une panne à « réparer », mais d'une occasion d'exprimer son soutien et son amour inconditionnel à sa femme.

Bill se plaignit un jour : « Je ne parviens pas à comprendre ma femme. Pendant des semaines, Mary est la plus merveilleuse des épouses et couvre toute la famille de tendresse, puis soudain elle paraît excédée par tout ce qu'elle fait pour tout le monde et commence à me chercher des noises. Ce n'est pas ma faute si elle est malheureuse. Je lui explique cela et nous nous engageons dans des disputes interminables. »

Comme bien des hommes, Bill a commis l'erreur de vouloir couper la vague pour l'empêcher de descendre. Il a tenté de la secourir en essayant de la remonter. Il ne savait pas que lorsque sa femme descendait ainsi, il lui fallait toucher le fond avant de pouvoir remonter.

Quand Mary commençait à sombrer, elle devenait irascible. Et, au lieu de l'écouter avec chaleur et tendresse, Bill essayait de lui remonter le moral en lui expliquant par a + b pourquoi elle ne devait pas se laisser aller de la sorte.

La dernière chose dont une femme a besoin quand elle entame la phase descendante de son cycle naturel, c'est de quelqu'un qui lui explique pourquoi elle ne devrait pas se laisser abattre. Elle a plutôt besoin de quelqu'un qui reste auprès d'elle, qui l'écoute pendant qu'elle exprime ce qu'elle ressent, et qui s'efforce de partager ses sentiments. Même si un homme est incapable de parfaitement comprendre pourquoi sa femme est au plus bas, il peut l'entourer d'amour, d'attentions et la soutenir dans l'épreuve.

Ce qui laisse les hommes perplexes

Quand on lui expliqua l'analogie entre les femmes et les vagues, Bill ne sut que penser. Mais lorsque sa femme se retrouva une fois de plus au creux de la vague, il fit de son mieux pour mettre en pratique certaines suggestions et s'exerça à l'écouter sans lui donner aucun conseil. Malheureusement, comme au bout de vingt minutes de ce traitement Mary ne semblait pas aller mieux du tout, il se sentit encore plus frustré qu'auparavant.

Il me raconta : « Au début, elle a paru s'ouvrir à moi, mais tout à coup je l'ai vue de plus en plus perturbée. Il me semblait que plus je l'écoutais, plus son moral déclinait. Alors, j'ai craqué et je lui ai dit qu'elle ne devrait pas se laisser abattre comme cela... Et nous avons commencé à nous disputer. »

Même si Bill avait fait l'effort d'écouter Mary parler

de ses problèmes, il essayait son approche « Dépannages en tout genre ». Il s'attendait d'ailleurs à voir Mary retrouver le sourire en un éclair. Bill ignorait qu'une femme soutenue au cours de sa descente de sa vague ne se sentira pas nécessairement mieux sur-le-champ. Elle peut même se sentir provisoirement plus mal. C'est sans doute là un signe de l'efficacité de l'aide dont elle bénéficie. En l'incitant à toucher le fond au plus vite, cette aide accélère sa guérison : puisqu'il est indispensable, pour remonter, de toucher d'abord le fond, le plus vite est le mieux. C'est là l'essence même du cycle féminin.

Bill a mal supporté de voir sa femme si peu réconfortée par son attitude et glissant inexorablement vers le bas.

Quand un homme soutient sa femme en détresse, elle commence parfois par se sentir plus mal encore.

Mais une fois qu'il aura compris que toute vague doit mourir avant de renaître, cela ne le surprendra plus.

Ce concept assimilé, Bill a pu se montrer patient et compréhensif envers Mary et l'aider. Il a aussi découvert qu'on ne pouvait pas prévoir la durée du cycle de la vague.

CONVERSATIONS ET DISPUTES RÉCURRENTES

Quand une femme remonte du plus bas de sa vague, elle redevient en un clin d'œil la partenaire aimante qu'elle était auparavant. L'homme se méprend généralement sur la signification de cette transformation positive. Selon lui, peu importe ce qui troublait sa compagne, elle a dû l'éliminer ou le résoudre une bonne fois pour toutes. Ce n'est bien entendu pas le cas. Il s'agit d'une simple illusion. Parce qu'il la voit de nouveau souriante, tendre, chaleureuse et positive, il croit à tort que tous ses problèmes sont résolus.

Mais quand elle entame une nouvelle phase descendante, les mêmes soucis resurgissent. Et quand ils reviennent, son mari s'impatiente parce qu'il les croyait réglés pour de bon. Tant qu'il ne saisit pas bien le concept de la vague, il lui est extrêmement difficile de reconnaître la légitimité des émotions de sa femme. Il a donc du mal à l'encourager lorsqu'il la retrouve au fond de la même vague qu'auparavant.

Quand les mêmes émotions réapparaissent, l'homme peut réagir de façon inappropriée en disant :

1. « Combien de fois va-t-on discuter de ça ? »
2. « J'ai déjà entendu tout ça. »
3. « Je pensais qu'on avait réglé ce problème. »
4. « Quand est-ce que tu vas arrêter de ressasser toujours la même chose ? »
5. « Je ne veux plus parler de ça ! »
6. « C'est idiot ! On recommence la même discussion à chaque fois ! »
7. « Pourquoi as-tu tant de problèmes ? »

Quand une femme descend sa vague, ses problèmes les plus profonds ont tendance à remonter à la surface. Il peut s'agir de difficultés liées à ses relations présentes, mais elles sont le plus souvent lourdement marquées par les expériences de son enfance et de ses relations antérieures. Tout ce qui n'a pas été guéri ou résolu dans son passé revient inévitablement la hanter.

Voici quelques-unes des émotions qu'elle peut ressentir quand elle descend sa vague.

SIGNAUX D'ALARME INDIQUANT À L'HOMME QUE SA FEMME EST SUR LE POINT DE DESCENDRE SA VAGUE OU QU'ELLE A TOUT PARTICULIÈREMENT BESOIN D'AMOUR

Elle est :	Et elle dit :
excédée	« Il y a tant de choses à faire ! »
amère	« C'est moi qui fais tout ! »
inquiète	« Qu'est-ce qui va se passer ? »
épuisée	« Je n'en peux plus ! »
désespérée	« Je ne sais pas quoi faire. »
indifférente	« Je m'en fiche ! Fais ce que tu veux. »
exigeante	« Tu devrais... »
réticente	« Non, je ne veux pas. »
méfiante	« Qu'est-ce que tu veux dire ? »
dominatrice	« As-tu fait ce que je t'ai dit ? »
réprobatrice	« Comment as-tu pu oublier ça ? »

En se sentant plus soutenue dans les moments difficiles, elle reprend confiance dans la solidité de son couple, ce qui lui permet de descendre sa vague et d'en remonter sans trop de dommages pour sa relation ni pour sa vie en général. C'est là l'un des multiples avantages d'une relation stable.

La femme considère le soutien qu'elle reçoit en phase de descente comme un très beau cadeau, susceptible de surcroît de l'aider à se libérer progressivement de l'emprise de ses problèmes passés. Bien sûr, elle connaîtra toujours des hauts et des bas – elle est une femme, et c'est dans sa nature –, mais ils seront moins prononcés et moins douloureux, aussi bien pour elle que pour son entourage.

QUAND LE BESOIN SE MUE EN MANQUE

Au cours d'un de mes séminaires sur les relations de couple, Tom s'est plaint : « Au début de notre relation, Susan paraissait très forte, puis soudainement elle est devenue faible, réclamant mon attention avec des accents suppliants : un vrai "crampon". Je me souviens de l'avoir rassurée en lui rappelant que je l'aimais et qu'elle comptait plus que tout pour moi. Après maintes discussions, nous avons franchi ce cap difficile, mais un mois plus tard elle a replongé, comme si elle n'avait pas entendu un seul mot de ce que je lui avais dit. Cela m'a tellement consterné que nous nous sommes sérieusement disputés. »

Tom ne se doutait pas de la banalité de son histoire. Beaucoup d'hommes ont vécu de telles expériences dans leur couple. Au moment où Tom a connu Susan, son cycle était en phase ascendante. Leur relation s'affermit, leur amour grandit... puis Susan franchit la crête de la vague et se sentit soudain des instincts possessifs qu'elle ne se connaissait pas, et Tom non plus. Prise de panique, elle se mit à réclamer de plus en plus d'attention. Et ce n'était que le début de la descente de sa vague.

Informations rassurantes

En découvrant que les femmes étaient comme des vagues, Tom a compris que la réapparition périodique du sentiment d'insécurité de Susan était aussi naturelle qu'inéluctable, et fort heureusement temporaire. Il a ri de sa propre naïveté : dire qu'il avait imaginé qu'un sermon rassurant de sa part suffirait à apaiser à jamais les angoisses profondes de Susan...

Mais dès lors qu'il avait compris qu'elle replongerait à intervalles réguliers au creux de la vague et comment la soutenir, Tom a bien mieux supporté les « crises » de Susan. Et non seulement ces dernières se sont écourtées, mais le couple a évité bon nombre de disputes. Voilà ce qui a encouragé Tom :

1 – Une déclaration d'amour et de soutien de la part de l'homme ne suffit pas à résoudre instantanément les problèmes de sa femme. En revanche, être assurée de son amour pourra permettre à sa compagne de descendre plus profondément au fond de sa vague en toute confiance.
Il est naïf de croire qu'une femme puisse demeurer aimante et souriante en permanence. Il faut s'attendre que ses problèmes remontent périodiquement à la surface. Et chaque fois que cela se produit, l'homme pourra perfectionner sa technique pour la rassurer.

2 – Une femme ne descend pas sa vague à cause d'un homme ou d'une de ses maladresses, mais parce que c'est sa nature profonde. En revanche, si le soutien de l'homme de sa vie ne peut empêcher ces moments pénibles de se reproduire, il l'aidera à les traverser.

3 – La femme possède en elle-même la capacité de rebondir rapidement après avoir touché le fond de la vague. Un homme n'a pas besoin de chercher à la « réparer » car ce qui lui arrive est une manifestation tout à fait normale de son cycle vital. Et elle n'a besoin pour surmonter cette épreuve que d'un peu d'amour, de patience et de compréhension.

QUAND UNE FEMME NE SE SENT PAS EN SÉCURITÉ DANS SA VAGUE

Lorsqu'une femme est engagée dans une relation intime, sa tendance à fluctuer telle une vague va s'accentuant. Il est très important qu'elle se sente en sécurité pour vivre ce cycle, sinon elle s'épuisera à étouffer ses émotions négatives pour faire croire que tout va très bien.

Quand une femme ne se sent pas en sécurité au moment de descendre sa vague, sa seule alternative est d'éviter toute forme d'intimité – émotionnelle comme sexuelle – ou d'endormir ses angoisses à l'aide d'échappatoires tels l'alcool, la drogue, la boulimie, le travail ou un altruisme maniaque. Mais tous ces faux-semblants ne pourront l'empêcher de sombrer périodiquement dans la mélancolie, ni de voir ses émotions se manifester à brûle-pourpoint.

Vous avez sûrement connu des couples « modèles » qui stupéfient leur entourage en demandant soudain le divorce. Dans la plupart des cas, ils ont pu tromper les observateurs grâce au talent de l'épouse pour étouffer ses sentiments afin d'éviter les disputes. Mais à force de se martyriser ainsi, elle perd toute sensibilité, jusqu'à devenir progressivement indifférente et incapable d'aimer.

En bâillonnant ses émotions négatives, on muselle aussi ses émotions positives, et avec elles, l'amour qui finit par s'éteindre comme une flamme privée d'oxygène.

Il est sain d'éviter les disputes et les altercations, mais pas au point d'étouffer les sentiments. Dans le chapitre 10, nous verrons comment éviter les disputes sans payer un tribut aussi exorbitant.

Faire son ménage émotionnel

C'est au moment de son effondrement cyclique que la femme est le mieux à même de faire le ménage dans ses émotions. Ce nettoyage émotionnel préserve sa capacité à s'épanouir en amour et à aimer en éliminant les refoulements susceptibles à terme d'interrompre le cycle naturel des vagues et de la rendre progressivement indifférente et incapable de passion.

Même les femmes les plus fortes, pleines de confiance en elles et occupant des postes prestigieux, doivent elles aussi descendre leur vague de temps à autre. Les hommes croient volontiers qu'une compagne qui réussit bien dans le monde du travail leur épargnera ces périodes de grand ménage émotionnel. C'est l'inverse qui se produit. Dans son travail, la femme est aussi souvent exposée au stress et à la « pollution émotionnelle » que ses collègues masculins. Elle effectuera donc plus de sessions de « nettoyage » que ses consœurs au foyer. Il en va de même pour l'homme, chez qui le besoin de prendre le large avant de revenir comme s'il était mû par un élastique peut également s'accroître avec l'exposition au stress du travail.

Une étude a révélé que l'estime qu'une femme se porte à elle-même variait au rythme d'un cycle d'une durée de vingt et un à trente-cinq jours, lequel n'est pas nécessairement synchronisé avec son cycle menstruel.

Dans son environnement professionnel, la femme parvient en général à dominer ses tracas d'ordre émotionnel, mais une fois chez elle sa vulnérabilité resurgit et elle a plus que jamais besoin du soutien de son partenaire.

Remarquons au passage que les incursions au creux de sa vague n'affectent pas nécessairement la productivité d'une femme dans son travail. En revanche, elles influent fortement sur ses relations avec ses parents et amis.

QUAND ELLE EST AU PLUS BAS DE LA VAGUE ET LUI DANS SA GROTTE

Un autre participant à mes séminaires, Harris, m'a dit : « J'ai essayé de mettre en pratique tout ce que j'avais appris ici. Tout allait bien et nous étions plus unis que jamais : le paradis. Mais un jour, ma femme, Cathy, a décrété que je regardais trop la télévision et s'est mise à me réprimander comme un enfant. Le ton est monté et nous nous sommes violemment disputés. Je ne comprends pas ce qui s'est passé. Tout allait si bien ! »

Voilà un exemple parfait de ce qui peut arriver quand les cycles masculin et féminin ne sont pas synchronisés au sein d'un couple : la femme dépasse la crête d'une vague au moment même où l'élastique de son compagnon commence à s'étirer. Fort des enseignements de mon séminaire, Harris soutenait sa femme et sa famille mieux que jamais et Cathy s'en réjouissait. Cet état de grâce a duré deux semaines puis, un soir, Harris a décidé de regarder la télévision plus tard que d'habitude. Son élastique commençait à s'étirer. Il avait besoin d'aller dans sa grotte. Cathy, dont la vague amorçait sa phase descendante et qui avait donc tout particulièrement besoin de tendresse, fut très blessée de le voir ainsi s'éloigner d'elle. Elle perçut son – très naturel – besoin d'isolement comme le début de la fin de cette nouvelle et merveilleuse expérience d'intimité. Pendant deux semaines, elle avait vécu un véritable rêve, et elle redoutait de le voir s'évanouir à tout jamais. La petite fille en elle avait l'impression qu'on lui avait repris un bonbon qu'on lui avait donné. Elle était furieuse.

Logique martienne et logique vénusienne

Le sentiment d'abandon qu'a ressenti Cathy est difficile à concevoir pour un Martien. Lui pensera plutôt : « J'ai été un si bon époux au cours des deux dernières semaines que je mérite sûrement une récompense. Je t'ai beaucoup donné au cours de cette période, mais maintenant j'ai besoin de m'occuper de moi-même. Je ne vois pas pourquoi tu t'en inquiètes : tu devrais quand même être assurée de mon amour, maintenant ! »

La logique vénusienne est à l'opposé. Elle perçoit la situation d'une façon toute différente, pouvant s'exprimer ainsi : « Ces deux dernières semaines ont été merveilleuses. Et après l'intimité que nous avons vécue, il m'est très pénible de te voir ainsi reprendre tes distances. Je me suis donnée à toi tout entière, et maintenant tu t'éloignes sans raison. »

Comment les émotions passées resurgissent

Cathy avait passé des années à se protéger de tout risque de déception en refusant d'ouvrir son cœur et en conservant une certaine méfiance à l'égard de la solidité de sa relation. Mais durant ces deux semaines idylliques, elle s'était livrée comme jamais elle ne l'avait fait de toute sa vie d'adulte, car elle pensait que l'attitude d'Harris justifiait qu'elle abandonne sa circonspection coutumière. Et voilà qu'à l'évidence elle s'était leurrée.

Tout à coup elle a retrouvé, intactes, les émotions qu'elle ressentait petite fille lorsque son père était trop occupé pour lui accorder son attention. La colère et la frustration refoulées pendant tant d'années furent soudain réveillées par la déception que lui avait infligée Harris. Si elles n'avaient pas été ainsi ravivées, Cathy aurait sûrement accepté plus facilement qu'Harris regarde la télévision plus tard que d'habitude.

D'autre part, si elle avait pu réfléchir à sa blessure et en faire part à Harris, ses sentiments profonds auraient émergé. Elle aurait alors touché le fond de sa vague et se serait sentie mieux, même si elle savait qu'elle souffrirait toujours de voir Harris céder à son besoin naturel de solitude après une période de lune de miel.

Quand on se blesse mutuellement

Harris, lui, ne comprenait bien sûr pas pourquoi Cathy réagissait ainsi. Il commit l'erreur de lui dire qu'elle ne devait pas prendre les choses aussi à cœur, ce qui est à peu près la pire chose qu'un homme puisse dire à une femme blessée. C'est comme s'il remuait le couteau dans la plaie.

Une femme qui souffre commence fréquemment par blâmer son partenaire. S'il l'entoure d'attentions et de compréhension, elle dépassera ce stade ; mais, en revanche, s'il tente de la convaincre de ne pas se sentir offensée, il ne peut qu'envenimer les choses. Même si son esprit admet qu'elle ne devrait pas s'énerver, son cœur saigne et il lui est intolérable de s'entendre dire qu'elle ne devrait pas avoir mal. Elle préférerait que son partenaire cherche à comprendre pourquoi elle se sent blessée.

Pourquoi les hommes et les femmes se disputent

Harris avait très mal interprété la réaction de Cathy. Il croyait qu'elle ne voulait plus, désormais, qu'il regarde la télévision. Cathy n'en exigeait pas tant de lui : elle voulait seulement qu'il réalise combien elle avait mal.

Les femmes savent instinctivement que si elles pouvaient lui communiquer leur malaise, leur partenaire serait capable d'effectuer les changements qui s'imposent. Tout ce que Cathy voulait, en faisant connaître son désarroi à Harris, c'était donc qu'il l'écoute et qu'il lui assure qu'il ne comptait pas rester en permanence cet étranger manquant de disponibilité émotionnelle et passant son temps devant la télévision.

Bien sûr, Harris avait le droit de regarder la télévision. Et Cathy, elle, avait le droit de se sentir vexée. Et elle estimait qu'elle avait aussi le droit d'être entendue, comprise et rassurée. Donc ni Harris ni Cathy n'avaient tort, dans cette affaire.

Les hommes réclament le droit d'être libres alors que les femmes réclament le droit de se sentir offensées. Les hommes ont besoin d'espace alors que les femmes ont besoin de compréhension.

Parce que Harris ne comprenait pas le principe de la vague, il était convaincu que la réaction de Cathy était injuste et se croyait autorisé à le lui dire. Il s'énerva et conclut en lui-même : « Après tout, je ne peux pas être tendre et attentionné tout le temps ! » Harris était persuadé que pour imposer son droit de regarder la télévision, il lui fallait prouver que Cathy avait tort d'éprouver de tels sentiments.

Il défendait son droit à la télévision alors que Cathy voulait seulement qu'il l'écoute. Elle défendait son droit de se sentir offensée et bouleversée.

RÉSOUDRE LES CONFLITS PAR UNE MEILLEURE COMPRÉHENSION

Harris était bien naïf de penser que tous les sentiments de colère, de ressentiment et d'impuissance que Cathy avait accumulés au cours de son enfance allaient disparaître en deux courtes semaines de bonheur.

Cathy était tout aussi naïve de penser qu'Harris pouvait maintenir son attention braquée en permanence sur elle et sur sa famille, sans jamais prendre le moindre répit pour s'occuper de lui-même.

C'est le début de l'éloignement d'Harris qui a déclenché le début de l'effondrement de la vague de Cathy. Ses sentiments refoulés ont commencé à remonter à la surface. Elle ne réagissait pas seulement au fait qu'Harris regarde la télévision ce soir-là, mais aux années de négligence dont elle avait tant souffert. Leur échange verbal dégénéra en dispute bruyante et, après avoir crié pendant deux heures, ils ne se parlaient plus.

En analysant tout ce qui s'était passé, ils parvinrent par la suite à résoudre leur conflit et à se réconcilier. Harris comprit que les premiers indices de son manque de disponibilité avaient déclenché en Cathy le besoin de faire le ménage dans ses émotions. Elle avait envie de parler de ce qu'elle ressentait et non qu'on lui fasse la leçon.

Si l'homme reconnaît le besoin de sa femme d'être entendue, elle admettra en retour son besoin à lui d'être libre.

Cathy comprit qu'Harris n'avait jamais eu l'intention de la blesser et que si, par moments, il ressentait le besoin de s'éloigner d'elle, cela ne durait pas. Et quand il revenait auprès d'elle, ils retrouvaient leur intimité.

Elle apprit aussi qu'Harris avait perçu ses récriminations au sujet de la télévision comme une tentative de le contrôler, et qu'il était primordial pour lui de savoir qu'elle n'essayait pas de lui dire ce qu'il devait faire.

Ce qu'un homme peut faire quand il ne parvient pas à écouter

Harris m'a demandé : « Qu'arrivera-t-il si un jour je suis incapable d'écouter Cathy alors qu'elle en a besoin et que je ressens, juste au moment où elle souhaite me parler, la nécessité de me retirer dans ma grotte ? Parfois je commence à l'écouter, mais je m'énerve. »

Je lui ai assuré que c'était normal. De temps en temps, la vague de sa compagne se brisera, déclenchant en elle le besoin d'être entendue juste au moment où son élastique à lui commencera à s'étirer, déclenchant en lui le besoin de s'éloigner. Dans ce cas, il sera absolument incapable de combler les attentes de Cathy.

Et si sa femme insiste pour lui exposer tout de même ses doutes et ses tracas, plus il essaiera de l'écouter, plus la situation se détériorera, jusqu'au moment où, fatalement, il va la juger (et peut-être éclater de rage), ou bien se montrer tellement fatigué et distrait qu'elle en prendra ombrage. Quand un homme se sent inapte à écouter sa compagne avec l'attention, la compréhension et le respect qu'elle mérite, il vaut mieux le lui dire et la rassurer sur le fait qu'il écoutera dès qu'il sera sorti de sa grotte.

Ce qu'il peut dire au lieu d'argumenter

Du point de vue d'Harris, le besoin de regarder la télévision tout seul n'avait rien d'anormal, comme il n'y avait rien d'anormal à ce que Cathy s'en vexe. Alors, au lieu de défendre son droit de regarder la télévision, Harris aurait pu dire quelque chose comme : « Je comprends que tu sois bouleversée, mais en ce moment j'ai envie de me détendre et de regarder la télévision. Dès que je me sentirai mieux, nous pourrons parler. » Ainsi il aurait gagné du temps pour regarder la télévision et se calmer, de même que pour se préparer à écouter sa partenaire parler de son désarroi, sans avoir l'air de penser que ses sentiments étaient injustifiés.

Ce qu'elle peut faire au lieu de s'énerver

En entendant ce conseil, Cathy dit spontanément : « S'il a la chance de pouvoir se réfugier dans sa grotte, qu'est-ce que je deviens, moi ? Je lui donne de l'espace, mais qu'est-ce que je reçois en retour ? »

Ce que Cathy reçoit en réalité, c'est la capacité de son partenaire à mieux s'occuper d'elle ensuite. De plus, en n'exigeant pas qu'il l'écoute au moment précis où elle souhaite parler, elle évite d'aggraver le problème en s'engageant dans une dispute inutile. Et enfin, elle s'assure de son soutien indéfectible au moment où il redeviendra disponible et pleinement capable de l'écouter.

Souvenez-vous que si un homme a besoin de s'étirer comme un élastique, il reviendra vers sa partenaire avec beaucoup plus d'amour, capable de bien mieux l'écouter. Pour le couple, c'est le meilleur moment pour engager le dialogue.

Quand son mari s'éloigne d'elle, c'est le moment pour la femme de solliciter le soutien de ses amies. Si Cathy éprouve le besoin de dialoguer quand Harris n'est pas accessible, elle peut parler avec les autres personnes de son entourage.

Faire de son partenaire sa seule source d'affection et de réconfort revient à lui faire porter une responsabilité par trop écrasante.

Si une femme est sur la pente descendante lorsque son conjoint est dans sa grotte, il est essentiel qu'elle ait recours à d'autres sources de réconfort, sinon elle se sentira impuissante et il se peut qu'elle éprouve de l'amertume à l'égard de son conjoint.

COMMENT L'ARGENT PEUT CAUSER DES PROBLÈMES

Chris m'a confié : « Je n'y comprends rien. Quand nous nous sommes mariés, nous étions pauvres. Nous travaillions très dur tous les deux, et nous avions du mal à joindre les deux bouts. Parfois ma femme, Pam, se plaignait de manquer de tout, et je la comprenais. Mais maintenant nous sommes riches. Nous menons tous les deux une brillante carrière. Comment peut-elle encore se plaindre et se dire malheureuse ? Des milliers de femmes rêveraient d'être à sa place. Pourtant, nous nous disputons sans arrêt et nous songeons même à divorcer. Cela paraît incroyable, mais nous étions bien plus heureux quand nous étions pauvres. »

Il a fallu à Chris un moment pour comprendre ma comparaison entre les femmes et les vagues, et c'était là tout le problème. Au début de leur mariage, Pam s'effondrait de temps à autre, comme toutes les femmes. Il savait l'écouter, compatir à sa peine et affirmer sa détermination à gagner suffisamment d'argent pour la rendre plus heureuse. Et Pam était impressionnée par le souci qu'il avait de son bien-être. Mais quand l'argent a commencé à adoucir leur existence, cela ne l'a pas empêchée de se sentir encore déprimée de temps en temps. Pour le coup, Chris ne comprenait plus rien. À présent qu'ils étaient riches, il pensait qu'elle aurait dû être heureuse en permanence. Mais Pam trouvait qu'il ne s'occupait plus assez d'elle...

L'argent ne comble pas les besoins émotionnels

Chris ne réalisait pas que leur situation financière ne pouvait empêcher Pam d'être mal de temps à autre. Résultat : ils se disputaient à chaque fois qu'elle glissait vers le creux de la vague, parce que Chris contestait la légitimité de ses sentiments. Et plus ils gagnaient d'argent, plus ils se disputaient.

Quand ils étaient pauvres, l'argent était au cœur de leurs problèmes. Mais à mesure qu'ils s'enrichissaient, Pam a pris conscience de ce qui lui manquait sur le plan sentimental. Une progression normale, naturelle et prévisible.

Une fois ses besoins matériels comblés, la femme prend conscience de ses besoins émotionnels.

On permet moins à une femme riche de se montrer bouleversée

Je me souviens d'avoir lu un article qui affirmait : « Une femme riche n'obtient la compréhension de son psychanalyste que s'il est lui-même riche. » Les gens en général, et les maris en particulier, ne permettent pas à une femme qui a beaucoup d'argent de se sentir mal. Elle n'a pas le droit d'avoir des hauts et des bas, telle une vague. On ne l'autorise pas non plus à se laisser aller à ses émotions, ou à exiger davantage de la vie – elle a déjà tant !

LES SENTIMENTS SONT IMPORTANTS

Si une femme ne se sent pas soutenue quand elle est malheureuse, il peut arriver qu'elle ne puisse jamais être réellement heureuse. Pour être capable de ressentir des émotions positives comme l'amour, le bonheur, la confiance et la gratitude, il faut aussi pouvoir de temps en temps s'autoriser des émotions négatives comme la colère, la tristesse, la peur et la peine. C'est quand une femme descend au fond de sa vague qu'elle est en mesure de se guérir de ces émotions négatives.

Les hommes aussi ont besoin d'expérimenter des sentiments négatifs pour être capables de vivre leurs émotions positives. C'est quand il est dans sa grotte qu'un homme ressent et traite en silence ces sentiments négatifs.

Nous explorerons une technique d'expression des émotions négatives valable aussi bien pour les hommes que pour les femmes au chapitre 11.

Quand une femme est soulevée par sa vague montante, elle est capable de se satisfaire de ce qu'elle a. Mais au moment où elle redescend, elle devient douloureusement consciente de ce qui lui manque. Autant elle se sentait bien et appréciait pleinement les bons côtés de la vie, autant, dès qu'elle s'effondre, elle ne voit plus que ce qui lui fait défaut et ses sujets d'insatisfaction.

De même qu'on peut considérer un verre d'eau comme étant à moitié plein ou à moitié vide, une femme qui, en phase ascendante, juge sa vie bien remplie ne considérera plus, en phase descendante, que tout ce qu'elle comporte de vide.

CHAPITRE 7

À la découverte de nos besoins émotionnels différents

Les hommes et les femmes ignorent en général qu'ils éprouvent des besoins émotionnels très différents, et c'est pourquoi ils ne savent pas toujours comment se montrer mutuellement leur amour. Les hommes peuvent faire l'erreur de donner aux femmes ce qu'ils aimeraient recevoir d'elles dans le cadre d'une relation, et vice versa. Tous supposent à tort que l'autre a les mêmes besoins qu'eux. Résultat : tous deux sont insatisfaits et amers et ont l'impression de faire des tas d'efforts sans rien recevoir en retour. Ils pensent que leur amour n'est ni reconnu ni apprécié. La vérité est que, s'ils donnent bien effectivement de l'amour, ce don ne correspond pas aux attentes de l'autre.

Par exemple, la femme pense se montrer aimante en posant beaucoup de questions ou en se préoccupant de son compagnon... Ce qui, ainsi que nous l'avons vu, peut être fort agaçant pour l'homme. Persuadé qu'elle cherche à le dominer, il ressent soudain un besoin d'espace qui blesse sa compagne. Celle-ci comprend d'autant moins sa réaction que s'il lui offrait le même genre de soutien, elle en serait très heureuse. Au mieux ses efforts pour être aimante sont ignorés, au pis ils irritent son partenaire et sont rejetés.

De son côté l'homme croit savoir aimer, mais sa façon d'exprimer son amour pousse souvent la femme à se sentir négligée et à penser qu'il conteste ses sentiments. Par exemple, quand il voit sa femme bouleversée, l'homme pense la soutenir efficacement en la laissant livrée à elle-même, croyant en toute bonne foi lui offrir la tranquillité nécessaire pour lui permettre de se calmer et de réfléchir en paix... Et sa femme se sentira mal aimée, dénigrée et ignorée, puisqu'en période de crise elle a avant tout besoin d'être entendue et comprise.

Tant qu'hommes et femmes ne percevront pas mieux la psychologie du sexe opposé, tous leurs efforts pour s'entraider demeureront voués à l'échec.

LES DIFFÉRENTS VISAGES DE L'AMOUR

Voici pour commencer un tableau des différents aspects de l'amour que l'homme et la femme placent en tête de leurs priorités.

La femme a avant tout besoin...	Et l'homme a avant tout besoin...
1. d'attentions	1. de confiance
2 ae compréhension	2. d'acceptation
3. de respect	3. d'appréciation

Comprendre vos besoins primordiaux

Bien sûr, au bout du compte, l'homme et la femme veulent tous deux que l'amour qu'on leur porte englobe chacun de ces six aspects. Classer les trois éléments de la colonne de gauche comme des besoins « féminins » ne signifie pas qu'ils n'intéressent pas les hommes, mais qu'ils leur sont moins essentiels. Nous parlerons ici de « besoins primaires », c'est-à-dire de ceux qui doivent impérativement être satisfaits pour qu'une personne se sente aimée.

Un homme ne devient réceptif aux trois formes d'amour correspondant aux besoins primaires de la femme que quand ses propres besoins primaires sont comblés. Savoir reconnaître et combler les besoins primaires de son partenaire est le secret d'une relation de couple réussie.

Les six besoins primaires de l'être humain en matière amoureuse sont complémentaires.

Penchons-nous de plus près sur cet aspect des choses.

1 – Elle a besoin d'attentions et lui de confiance

Quand un homme montre un intérêt sincère pour les sentiments et pour le bien-être de sa femme, celle-ci se sent aimée et protégée. Par ses attentions, il comble efficacement son premier besoin primaire. Et, tout naturellement, elle réagira en ayant de plus en plus confiance en lui. Et on sait qu'une femme en confiance est plus disponible et plus réceptive aux sentiments amoureux.

Une femme qui accorde sa confiance à un homme admet implicitement qu'il fait de son mieux pour la rendre heureuse, qu'il veut ce qu'il y a de mieux pour elle, et qu'elle le juge capable de la choyer et de la combler. Son premier besoin primaire à lui est satisfait. En retour, il se montrera automatiquement plus attentif aux sentiments et aux besoins de sa femme.

2 – Elle a besoin de compréhension, et lui d'être accepté tel qu'il est

Quand un homme sait écouter une femme, sans porter de jugement mais en lui montrant son empathie et son respect pour les émotions qu'elle exprime, elle se sent écoutée et comprise. Une attitude compréhensive ne consiste pas à connaître à l'avance les sentiments d'une personne, mais à les comprendre à partir de ce qu'elle dit. Plus le besoin d'une femme d'être entendue et comprise est comblé, plus il lui est facile de montrer à son conjoint l'admiration dont il rêve.

Quand une femme accepte son partenaire tel qu'il est, sans essayer de le changer, il se sent aimé. Cela ne veut pas dire qu'elle juge son époux parfait, mais indique qu'elle l'estime capable d'effectuer lui-même les changements qui pourraient s'imposer. Une fois qu'un homme se sent accepté, il lui devient beaucoup plus facile d'écouter sa femme s'exprimer avec toute la compréhension qu'elle désire et qu'elle mérite.

3 – Elle a besoin de respect, et lui d'appréciation

Quand un homme sait montrer à sa femme son respect pour ses droits, ses désirs et ses besoins, elle se sent aimée. Veiller à tenir compte des idées et des sentiments de sa partenaire constitue une marque de respect, tout comme offrir des fleurs ou se souvenir d'un anniversaire Ces gestes sont essentiels à la satisfaction du troisième besoin primaire de la femme. Et quand elle sent que son partenaire la respecte, elle lui accorde tout naturellement l'appréciation qu'il a besoin de recevoir d'elle.

Un homme ne peut en effet se sentir aimé que s'il acquiert la certitude que ses efforts pour rendre sa femme heureuse sont bien perçus comme tels et appréciés à leur juste valeur. Ravi de voir qu'il ne s'est pas démené en vain, il sera porté à donner encore plus d'amour à sa partenaire, à la respecter encore davantage.

L'homme a pour ultime besoin primaire d'être encouragé par sa compagne, qui lui démontrera ainsi la confiance qu'elle met dans son caractère et ses capacités. Quand une femme montre à son partenaire qu'elle a confiance en lui, qu'elle l'accepte tel qu'il est, qu'elle l'apprécie à sa juste valeur, qu'elle l'admire et qu'elle l'approuve, elle l'incite à fonctionner au maximum de ses capacités. Et c'est en se sentant ainsi encouragé que l'homme pourra le mieux rassurer sa femme comme elle souhaite l'être. La satisfaction de ses six besoins primaires fait ressortir le meilleur d'un homme.

En revanche, quand une femme ignore les besoins primaires d'un homme, elle peut involontairement saboter leur relation. L'histoire suivante en est un exemple.

LE PRINCE CHARMANT

En tout homme se cache un héros ou un prince charmant. Plus que tout au monde il désire servir et protéger la femme qu'il aime. Quand il sent qu'elle lui fait confiance, il est capable des plus folles prouesses et des plus tendres attentions. Si, en revanche, il doute de la confiance de sa belle, tout l'édifice de leur amour risque de s'écrouler.

Imaginez un prince charmant galopant à travers la campagne. Soudain, il entend les appels d'une femme en détresse. N'écoutant que son courage, il accourt au grand galop vers le château où un affreux dragon tient une belle princesse prisonnière. Le noble prince tire son épée et tue le monstre. Et, naturellement, la belle lui témoigne sa reconnaissance.

Il est ensuite accueilli et porté en triomphe par la famille de la princesse et toute la population. On le considère comme un héros et on l'invite à s'installer dans le village. Et, comme il se doit, il vit une belle histoire d'amour avec la princesse.

Un mois plus tard, le beau prince part en voyage. Sur le chemin du retour, il entend de nouveau sa princesse crier. Un autre dragon a attaqué le château. Il se précipite et tire son épée pour occire ce deuxième monstre mais, avant qu'il ne le frappe, sa belle lui crie du donjon : « Arrête ! N'utilise pas ton épée. Prends plutôt ce nœud coulant. » Et elle lui lance une corde nouée puis lui crie des directives pour qu'il l'utilise correctement. Il parvient à la passer autour du cou du dragon et à l'étrangler. La bête meurt mais le prince ne se sent pas tout à fait aussi fier de lui.

Un mois plus tard, nouveau voyage. Au moment où il prend son épée pour partir, la princesse lui conseille la prudence et le prie d'emporter aussi son nœud coulant. Une fois de plus, à son retour, il trouve un dragon au pied du château. Cette fois il s'élance avec son épée à la main mais s'arrête, hésitant. Devrait-il plutôt utiliser le nœud coulant ? Pendant qu'il tergiverse, le dragon crache un jet de feu qui lui brûle le bras droit. C'est alors que la princesse lui lance une fiole par une meurtrière en criant : « Utilise plutôt ce poison, le nœud coulant ne marche pas ! » Le prince verse le poison dans la gueule du dragon, qui meurt. Le prince est un peu agacé.

Un mois plus tard, il doit de nouveau s'absenter.

Cette fois, au moment du départ, la princesse lui conseille d'emporter, en plus de son épée, le nœud coulant et du poison. « Mieux vaut être prévoyant », dit-elle. Sa suggestion agace davantage le prince, mais il cède et emporte ces armes supplémentaires au cas où...

En chemin, il entend l'appel d'une autre damoiselle en détresse, dans un autre village, et vole à son secours, confiant et plein d'énergie. Mais au moment de dégainer son épée pour ajouter un dragon supplémentaire à son tableau de chasse, il est à nouveau frappé d'hésitation. Doit-il utiliser son épée, le nœud coulant ou le poison ? Que dirait la princesse si elle était là ? Il demeure un instant indécis. Puis il se rappelle comment il se sentait avant de connaître la princesse, lorsqu'il avait son épée pour seule arme, et dans un élan de confiance il jette le nœud et le poison puis charge le dragon avec son épée. À la grande satisfaction de la damoiselle et des villageois, il tue le monstre.

Le prince charmant ne revint jamais auprès de sa princesse. Il s'établit dans ce nouveau village et y vécut heureux. Il s'y maria même... après s'être assuré que sa nouvelle princesse ne connaissait rien aux nœuds coulants ni aux poisons.

Le prince charmant qui se cache en tout homme est une image qui peut aider à se rappeler les besoins primaires de l'homme et à comprendre que, bien qu'il apprécie parfois l'attention et l'aide, c'est surtout la confiance qui le nourrit.

RIEN NE SERT D'AIMER SI L'ON AIME MAL

Les histoires d'amour échouent souvent parce que chacun donne instinctivement ce qu'il aimerait recevoir, sans prendre en compte les différences émotionnelles. Ainsi, la femme ayant pour besoin primaire de recevoir des attentions, de la compréhension et du respect, elle aura tendance à en submerger son partenaire... qui en déduira bien souvent qu'elle n'a pas confiance en lui. Or il a avant tout besoin de confiance, pas d'attentions. Et quand la femme constate qu'il n'apprécie pas le soutien qu'elle croit lui apporter (avec ses attentions), elle est incapable de comprendre pourquoi.

En retour, l'homme lui donne son propre type de soutien, celui qu'il aimerait recevoir d'elle, mais qui n'est pas du tout propre à combler une femme. Et peu à peu, ils se trouvent pris dans un cercle vicieux où l'amour réel qu'ils se portent est impuissant à satisfaire leurs besoins.

Lisez plutôt l'histoire révélatrice de Beth et d'Arthur.

Beth et Arthur étaient mariés depuis huit ans et sur le point de se séparer. Chacun d'eux était persuadé que l'autre ne l'aimait pas vraiment et, détail révélateur, tous deux prétendaient donner plus qu'ils ne recevaient dans leur relation.

Beth se plaignait : « Je ne peux pas continuer à tout donner sans rien recevoir en retour. Arthur n'apprécie pas ce que je fais pour lui. Je l'aime, mais lui ne m'aime pas. »

Mais Arthur se plaignait aussi : « Elle n'est jamais contente. Rien de ce que je fais n'est jamais bien ; je ne sais plus quoi faire. J'ai tout essayé, mais elle ne m'aime toujours pas. Pourtant, je l'aime. »

En réalité ils s'aimaient beaucoup, mais mal. Ignorant tout des besoins primaires de l'autre, ils ne pouvaient le contenter. Beth donnait à Arthur ce qu'elle aurait souhaité recevoir, et Arthur commettait la même erreur de son côté. Bref, ils donnaient beaucoup tous les deux, mais ne recevaient pas en retour ce dont ils avaient réellement besoin. Et, peu à peu, ils se sont épuisés.

De fait, il est bien plus facile de maintenir une relation quand les deux partenaires comprennent les besoins primaires de l'autre. Ils ne donneront pas plus, mais mieux.

La méconnaissance des besoins primaires différents des hommes et des femmes explique pourquoi tant d'histoires d'amour pourtant sincères tournent court. Pour satisfaire votre partenaire et fonder avec lui une union solide, il vous faut donc avant tout apprendre à lui donner l'amour qu'il aspire à recevoir.

CHAPITRE 8

Comment « marquer des points » auprès du sexe opposé

L'homme pense acquérir un immense crédit auprès d'une femme lorsqu'il fait une chose qu'il estime importante pour elle, comme lui acheter une nouvelle voiture ou l'emmener en vacances. Il croit mériter moins d'estime pour les gestes plus simples, comme lui ouvrir la portière, lui offrir des fleurs ou la prendre dans ses bras. Son système de pensée le pousse à croire que c'est en concentrant son temps, son énergie et son attention à offrir à la femme qu'il aime des cadeaux luxueux qu'il pourra le mieux la combler. Malheureusement pour lui, il se trompe car sa femme n'a pas la même méthode de calcul que lui.

À ses yeux, peu importe la dimension ou le prix du cadeau – au sens large : il peut s'agir aussi d'un geste d'amour comme la prendre dans ses bras – qu'elle reçoit : dès lors qu'il lui est offert avec amour, il vaut un point. Qu'un présent soit somptueux ou minuscule, il vaudra toujours un point. Pourtant l'homme continue à imaginer que, s'il remporte un point pour une bagatelle, il en marquera vingt, trente, voire cinquante, pour un don de plus grande valeur. Ce qui le pousse naturellement à s'évertuer à offrir un ou deux cadeaux spectaculaires.

Pour une femme, tous les cadeaux sont d'égale valeur, pourvu qu'ils soient offerts avec amour.

L'homme ne réalise pas que, pour une femme, les petites choses comptent tout autant que les grandes. En d'autres termes, pour une femme, une simple rose compte autant qu'un bijou ou un joli meuble.

Et tant qu'ils ne comprendront pas cette divergence fondamentale entre leurs deux méthodes de calcul, les hommes et les femmes seront continuellement frustrés et déçus dans leurs relations de couple. Voici une illustration parfaite du problème.

Au cours d'une consultation, Pam m'a dit : « Je me mets en quatre pour Chuck, mais il m'ignore. Il ne s'intéresse qu'à son travail. »

Aussitôt, Chuck a répliqué : « Mais c'est mon travail qui nous permet de nous offrir une magnifique maison et des vacances de rêve. Elle devrait en être heureuse. »

Reprenant la parole, Pam lui lança : « Mais à quoi me serviront la maison et les vacances si nous ne nous aimons pas assez ? J'ai besoin que tu me donnes davantage de *toi-même.* »

Chuck reprit : « Tu as l'air de dire que toi, tu me donnes beaucoup plus. »

Et Pam conclut en disant : « C'est vrai ! Je suis toujours en train de faire des choses pour toi. Je fais la lessive, les repas, le ménage, tout ! Toi, tu ne fais qu'une chose : tu vas travailler, ce qui paie les factures, je le sais. Mais tu comptes sur moi pour faire tout le reste ! »

Dans son esprit, plus il gagnait d'argent, moins il lui était nécessaire d'en faire à la maison pour satisfaire les besoins de Pam. En clair, il était convaincu que ses revenus lui octroyaient au moins trente points auprès de Pam. Puis, quand il a ouvert une nouvelle clinique et doublé ses revenus, il a pensé qu'il marquait désormais au moins soixante points par mois. Il ignorait que ses revenus ne comptaient que pour un seul point auprès de Pam, autant qu'ils lui en auraient rapporté s'il avait gagné le SMIC !

Pis, comme ses nouvelles responsabilités l'absorbaient de plus en plus, Chuck s'occupait de moins en moins de Pam, si bien qu'il lui semblait en réalité recevoir de moins en moins de marques d'attention de son époux. Pam en vint à calculer que le score mensuel de leur relation devait être environ de soixante points pour elle contre un seul pour Chuck, ce qui éveilla en elle un compréhensible ressentiment et la rendit très malheureuse.

Chuck, qui pensait contribuer au score du ménage de soixante bons points par mois, ne voyait évidemment pas les choses du même œil. Puisqu'il avait accru le montant de ses dons, sa femme devait en faire autant. Dans son esprit, le score était équitable et il aurait été pleinement satisfait de leur relation si seulement Pam avait été plus heureuse. Il lui reprochait d'être trop exigeante.

DES PETITES CHOSES QUI FONT UNE IMMENSE DIFFÉRENCE

Il y a une multitude de façons pour un homme de marquer des points auprès de sa partenaire sans avoir à se donner trop de mal. Il suffit de réfléchir un peu. À vrai dire, la plupart des hommes les connaissent déjà mais se soucient peu de les mettre en pratique parce qu'ils ne réalisent toujours pas l'importance des petites attentions aux yeux d'une femme.

Certains hommes multiplient ces attentions au début d'une relation, mais ils cessent très vite. Tout se passe comme si une force instinctive et mystérieuse les poussait à rechercher « la » grande chose qu'ils peuvent faire pour leur partenaire... qui ne leur en demande le plus souvent pas tant. En somme, un malentendu fausse leurs relations.

Si les femmes distribuent les points un par un, ce n'est pas seulement un choix, mais l'expression d'un véritable besoin. Elles ont besoin pour se sentir aimées d'être couvertes de témoignages d'amour par leur partenaire. Un ou deux gestes d'amour isolés, si énormes soient-ils, ne suffiront jamais à les combler.

Pour vous y aider, messieurs, je vous suggère d'imaginer le « réservoir d'amour » d'une femme comme le réservoir à essence d'une voiture : comme lui, il a besoin de pleins fréquents. Mais contrairement aux voitures qui peuvent rouler sans dommage avec un réservoir aux trois quarts vide, une femme ne se sent réellement aimée que quand son réservoir d'amour est près de déborder. Une seule solution : de petits remplissages fréquents – comptant chacun pour un point – pour le maintenir plein presque en permanence... et garder sa propriétaire heureuse et capable à son tour de montrer à son conjoint tout l'amour qu'elle lui porte.

QUELQUES SUGGESTIONS POUR MARQUER DES POINTS AUPRÈS D'UNE FEMME

1 – En rentrant à la maison, allez embrasser votre femme avant de faire quoi que ce soit d'autre.

2 – Posez-lui des questions spécifiques indiquant que vous vous souvenez – et que vous vous préoccupez – de ce qu'elle vous raconte et de ce qui lui

arrive. Par exemple : « Comment s'est passé ton rendez-vous chez le médecin ? »

3 – Accordez-lui vingt minutes d'attention exclusive et soutenue, sans toucher à votre journal ni vous laisser distraire par autre chose pendant ce temps.

4 – Surprenez-la en arrivant avec des fleurs, à l'occasion, et pas seulement pour son anniversaire ou pour la Saint-Valentin.

5 – Planifiez une sortie plusieurs jours à l'avance, au lieu d'attendre le vendredi soir pour lui demander ce qu'elle aimerait faire.

6 – Dites-lui qu'elle est très belle.

7 – Quand elle est contrariée, dites-lui que vous comprenez ses sentiments.

8 – Proposez-lui de l'aide quand elle est fatiguée.

9 – Téléphonez-lui pour la prévenir quand vous êtes en retard.

10 – Lorsque vous sentez la nécessité de vous retirer dans votre grotte, prévenez-la de votre besoin de temps pour réfléchir et dites-lui bien que vous serez très bientôt de nouveau disponible pour elle.

11 – À votre sortie de la grotte, parlez avec elle de ce qui a pu la tourmenter dans le calme, de manière respectueuse et sans reproches, pour éviter qu'elle ne s'imagine le pire.

12 – L'hiver, proposez de faire du feu.

13 – Quand elle vous parle, posez le journal, la revue ou le livre que vous tenez entre les mains, et éteignez la télévision, pour lui consacrer toute votre attention.

14 – Pensez à lui rendre de menus services comme vous charger d'une course ou passer au pressing, et surtout n'oubliez pas de vous exécuter.

15 – Prévenez-la quand vous avez envie de faire la sieste ou de sortir.

Prenez-la dans vos bras au moins quatre fois par jour.

---

16 – Téléphonez-lui de votre lieu de travail pour lui demander comment elle va, lui raconter une anecdote, ou simplement pour lui dire : « Je t'aime ! »

17 – Faites le lit et rangez la chambre.

18 – Remarquez quand la poubelle est pleine et allez la vider.

19 – Quand vous êtes en déplacement, appelez-la pour lui dire que vous êtes bien arrivé et pour lui laisser un numéro où vous joindre en cas de besoin.

20 – Lavez sa voiture.

21 – Nettoyez l'intérieur de votre voiture avant de sortir avec elle.

22 – Si vous avez eu très chaud, prenez une douche avant de la câliner ou de vous coucher.

23 – Prenez son parti quand elle a un problème avec quelqu'un.

24 – Proposez-lui de lui masser le cou, le dos ou les pieds. Ou même les trois, pourquoi pas ?

25 – Faites-vous un devoir de lui montrer de l'affection de temps en temps, sans arrière-pensée sexuelle.

26 – Ne changez pas continuellement de chaîne quand elle regarde la télévision avec vous.

27 – Montrez-vous toujours affectueux avec elle, même et surtout en public.

28 – Procurez-vous des billets pour les spectacles qu'elle préfère : théâtre, concert, opéra, ballet, etc.

29 – Donnez-lui la première place dans vos préoccupations et accordez-lui notamment plus d'importance qu'à vos enfants. Veillez à ce qu'ils le comprennent bien, et elle aussi.

30 – Offrez-lui des petits cadeaux, comme une boîte de chocolats ou du parfum.

31 – Offrez-lui un vêtement ou un accessoire vestimentaire qu'elle a remarqué dans une vitrine (dans le cas d'un vêtement, vérifiez quelle est sa taille en jetant un coup d'œil dans son placard).

32 – Prenez-la souvent en photo.

33 – Emmenez-la en week-end en amoureux.

34 – Conservez une photo récente d'elle dans votre portefeuille, et dites-le-lui.

35 – Quand vous devez coucher à l'hôtel, faites disposer un bouquet de fleurs et une corbeille de fruits ou une bouteille de champagne dans la chambre.

36 – Conduisez lentement et prudemment, en respectant ses préférences. Après tout, elle est assise à l'avant, juste à côté de vous, totalement impuissante.

37 – Traitez-la comme vous le faisiez au début de votre relation.

38 – Achetez de la colle forte pour réparer tout ce qui est brisé dans la maison.

39 – Laissez le sol de la salle de bains propre et sec et les serviettes repliées après votre passage.

40 – Ouvrez-lui la porte.

41 – Aidez-la à porter les sacs à provisions.

42 – Offrez-lui de porter tous les objets lourds à sa place.

43 – Préparez une liste de « choses à faire », laissez-la dans la cuisine pour qu'elle y ajoute ce qu'elle juge nécessaire, et occupez-vous-en quand vous en avez le temps pour ne jamais la laisser trop s'allonger.

L'EFFET MAGIQUE DES PETITES ATTENTIONS

Quand l'homme couvre sa femme de petites attentions, cela produit un effet presque magique. Il maintient son réservoir d'amour plein et gagne moult points, si bien que leurs scores sont à égalité. La femme sait qu'elle est aimée, ce qui lui permet d'être en confiance et d'aimer en retour sans retenue.

Faire de petites choses pour une femme exerce également un puissant effet thérapeutique sur l'homme. Sa nouvelle attitude efface autant sa propre amertume que celle de sa partenaire. En la comblant de sa sollicitude, il recommence à se sentir puissant et efficace. Et tous deux sont heureux.

Ce dont l'homme a besoin

Autant l'homme doit persévérer dans ses menues attentions, autant sa femme doit veiller à lui témoigner sa reconnaissance. Un sourire et un merci suffiront à lui faire comprendre qu'il a marqué un point. L'homme a besoin de ce genre d'encouragements pour continuer à donner. Il aime voir les conséquences de ses bonnes actions. N'oubliez pas que, s'il sent que sa femme tient ses efforts pour acquis, il perdra immédiatement toute velléité de générosité.

Cela ne veut pas dire qu'une femme doive considérer que tous ses problèmes de couple sont arrangés parce que son mari a accepté de sortir les poubelles ! Mais elle pourra simplement – et devra – lui signaler qu'elle apprécie son effort à sa juste valeur et l'en remercier. Et si chacun persévère dans cette voie, les nuages qui planent sur leur union se dissiperont peu à peu.

Ce qu'un homme a besoin de voir sa femme accepter

La femme doit admettre que l'instinct de l'homme le pousse à toujours concentrer son énergie sur les choses importantes en minimisant les plus petites.

Accepter ce penchant naturel l'aidera à moins en souffrir. Et au lieu d'en vouloir à son partenaire parce qu'il lui donne moins qu'il ne reçoit d'elle, elle peut joindre ses efforts constructifs aux siens pour résoudre le problème. Pour qu'il le garde présent à l'esprit, elle pourra répéter souvent qu'elle apprécie ses petits cadeaux, et l'attention dont ils témoignent.

Elle se rappellera que les petits oublis d'un homme ne résultent pas d'un manque d'amour pour elle, mais plutôt de sa concentration sur les grandes choses. Au lieu de lui faire des reproches, elle l'encouragera pour le pousser insensiblement dans la bonne voie. Et, peu à peu, l'homme apprendra que les petites choses valent bien les grandes. Il renoncera progressivement à vouloir réussir à tout prix pour découvrir les joies de la détente en compagnie de sa femme et de sa famille.

REDIRIGER SON ÉNERGIE ET SON ATTENTION

Je me souviens très bien de l'époque où j'ai appris à rediriger mon énergie vers les petites tâches. Quand nous nous sommes mariés, Bonnie et moi, j'étais un véritable maniaque du travail. En plus d'écrire des livres et d'enseigner, je donnais environ cinquante heures de consultation par semaine ! Ma femme me rappelait sans cesse qu'elle avait besoin que je passe plus de temps avec elle et qu'elle se sentait seule et abandonnée. Parfois, elle me transmettait ses émotions par écrit. C'est ce qu'on appelle une lettre de sentiments. Cela se termine toujours par de l'amour et contient des sentiments de colère, de tristesse, de peur et de peine. Nous explorerons plus en profondeur les formules et l'importance de ces lettres de sentiments dans le chapitre 11. Voyons maintenant l'une des lettres qu'elle m'avait écrites pour se plaindre du temps excessif que je passais au travail.

Cher John,

Je t'écris cette lettre pour te faire part de mes émotions. Je n'ai pas l'intention de te dire ce que tu dois faire ; je veux simplement que tu comprennes mes sentiments. Je souffre que tu travailles autant. Je suis déçue que tu rentres à la maison complètement vidé, et je voudrais passer plus de temps avec toi.

J'ai de la peine parce que j'ai l'impression que tu t'occupes plus de tes patients que de moi, et je suis triste que tu sois si fatigué. Tu me manques.

J'ai bien peur que tu ne veuilles plus passer de temps avec moi, et je crains de devenir un fardeau supplémentaire dans ta vie. Loin de moi l'idée de te harceler, mais j'ai parfois l'impression que mes sentiments n'ont plus aucune importance à tes yeux.

Je m'excuse si lire ces lignes s'avère douloureux pour toi. Je sais que tu fais de ton mieux, et j'apprécie que tu consacres autant d'énergie à ta carrière.

Je t'aime.

Bonnie

Après avoir lu la lettre de Bonnie, j'ai dû admettre la justesse de ses propos : en effet, je la négligeais, oui, je m'occupais plus de mes patients que d'elle. Je leur réservais toute mon attention, puis je rentrais à la maison épuisé, et j'ignorais ma femme.

Je ne la négligeais pas parce que je ne l'aimais pas, ni parce qu'elle ne comptait pas pour moi, mais parce que je n'avais plus rien à donner. Je croyais naïvement faire de mon mieux pour la combler en travaillant d'arrache-pied pour lui procurer un meilleur train de vie. Mais quand j'ai compris comment elle percevait la situation, j'ai vite redressé la barre et adopté une autre attitude pour résoudre les problèmes de notre couple.

Au lieu de recevoir huit patients par jour, j'ai décidé de ne plus en recevoir que sept. Je rentrais une heure plus tôt chaque soir et je faisais en sorte de lui accorder l'attention exclusive que je devais à la personne la plus importante pour moi. Et je pris l'habitude de multiplier les petites attentions à son égard. Le succès de mon plan ne se fit pas attendre : non seulement Bonnie retrouva le sourire, mais notre bonheur à tous deux alla grandissant.

À présent que je me sentais aimé grâce à ce que je faisais pour soutenir ma femme et ma famille, je sentis mon désir obsessionnel de succès à tout prix diminuer. Je ralentis mon rythme de travail et, à ma grande surprise, non seulement notre relation en fut régénérée, mais je m'épanouis encore plus dans ma carrière, réussissant mieux en travaillant moins !

Je découvris que, quand j'étais fier de moi à la maison, cela se reflétait dans mon travail, et cela m'apprit que le succès dans le monde professionnel ne vient pas uniquement du travail, mais aussi de la capacité à inspirer confiance. Et quand je me sentais aimé par les miens, j'étais plus sûr de moi et, donc, j'inspirais plus de confiance aux autres.

L'amour de Bonnie a joué un rôle essentiel dans ma transformation. En plus de m'exposer ses sentiments avec honnêteté, elle est devenue beaucoup plus présente, n'hésitant pas à me rappeler de faire certaines choses pour elle, et me témoignant ensuite sa reconnaissance quand je les accomplissais. Qu'il était donc merveilleux de se voir aimé pour le moindre geste tendre ! Et, progressivement, je me défis de la fausse idée qui veut qu'il faille absolument accomplir de grandes choses ou offrir des cadeaux de prix pour être aimé. Ce fut toute une révélation !

QUAND LES FEMMES ACCORDENT DES POINTS

Comme nous l'avons vu, les femmes ont pour caractéristique d'apprécier tout autant les petites attentions que les grandes et, dans le fond, c'est heureux pour l'homme.

La plupart des hommes s'acharnent à réussir parce qu'ils croient que c'est ainsi que l'on gagne l'amour d'une femme.

La femme a la capacité de guérir cette illusion masculine trompeuse en valorisant les petites choses que son partenaire accomplit pour elle. Mais si elle-même ne comprend pas à quel point il est important pour l'homme de s'entendre ainsi féliciter, elle risque de ne pas le faire, surtout lorsque sa rancœur entrave le chemin.

Les femmes ont la faculté d'apprécier les petites choses de la vie. Toutefois, quand une femme se sent mal aimée, ou négligée, elle peut momentanément perdre cette capacité de réjouissance. L'amertume que suscite en elle l'impression d'avoir donné à son partenaire beaucoup plus qu'il ne lui a rendu en retour la paralyse.

Le ressentiment est une véritable maladie, au même titre que le rhume ou la grippe. Quand une femme attrape cette maladie, elle a tendance à renier ce que son partenaire a fait pour elle car, d'après son propre système de décompte des points, elle juge avoir fait beaucoup plus que lui.

Quand le score est de quarante à dix en sa faveur, le ressentiment s'installe. Quelque chose se passe chez une femme lorsqu'elle a l'impression de donner plus qu'elle ne reçoit : inconsciemment, elle déduit les dix points de son partenaire de ses quarante à elle, et obtient un nouveau score de trente à zéro. Mathématiquement, cela a beaucoup de sens et c'est compréhensible, mais ça ne marche pas. En soustrayant les points de son partenaire des siens, elle obtient un zéro, mais cela ne signifie pas qu'il soit nécessairement un zéro. En réalité, il ne mérite pas zéro mais dix points. Pourtant, lorsqu'il retrouve sa femme, l'homme perçoit une froideur dans son regard et dans le ton de sa voix qui lui fait bien sentir qu'il est à zéro. En réagissant comme s'il ne lui avait jamais rien donné, bien qu'il ait mérité dix points, elle minimise ses efforts.

Si la femme réduit ainsi le mérite de son partenaire, c'est parce qu'elle ne se sent pas aimée. De la disparité du score obtenu, elle conclut qu'elle n'a pas d'importance aux yeux de son partenaire et, ne se sentant pas aimée, elle devient pratiquement incapable de reconnaître les dix points qu'il a mérités. Ce n'est évidemment pas juste, mais c'est ce qui se passe.

Généralement, quand le couple en est arrivé à ce stade, l'homme, ne se jugeant pas apprécié, commence à perdre sa motivation et à faire de moins en moins d'efforts pour sa compagne. Il a attrapé le virus du ressentiment. Pendant ce temps, l'amertume de sa femme augmente aussi, et la situation se détériore de plus en plus. Alors le virus du ressentiment finit par prendre le dessus de part et d'autre.

Ce que la femme peut faire

Pour résoudre ce problème, il faut en considérer les deux aspects. Lui a besoin d'être apprécié, et elle a besoin de soutien, sinon leur mal ne fera qu'empirer.

Pour guérir son ressentiment, une femme doit commencer par assumer sa propre responsabilité. Elle doit se reconnaître responsable d'avoir contribué au problème, en donnant sans compter et en laissant le score devenir trop inégal entre son partenaire et elle sans réagir. Son « traitement » consistera donc à apprendre à moins donner. Elle a besoin de prendre soin d'elle-même, et de permettre à son mari de s'occuper davantage d'elle.

Lorsqu'une femme est envahie par l'amertume, elle ne laisse généralement à son partenaire aucune chance de l'aider et, s'il essaie de le faire, dénigre sans pitié ses efforts. Un nouveau zéro pointé à l'actif de Monsieur. En reconnaissant qu'elle a trop donné, elle pourra cesser d'accabler son partenaire de reproches et effacer le tableau des scores, pour en recommencer un nouveau. Bref, elle peut lui donner une seconde chance et, grâce à la nouvelle compréhension qu'elle aura acquise, en tirer meilleur parti.

Ce que l'homme peut faire

De son côté, un homme qui ne se sent pas apprécié à sa juste valeur ne se risquera plus à soutenir sa femme. On lui conseillera de prendre en compte l'état de détresse dans lequel elle se trouve, qui l'empêche de lui accorder des points alors qu'elle déborde d'amertume.

Il verra aussi son propre ressentiment s'atténuer s'il comprend qu'elle a d'abord besoin de recevoir beaucoup d'amour avant de pouvoir recommencer à donner. S'il a cela en tête, il trouvera la force de continuer à lui prodiguer de petites marques d'amour et d'affection. Mais il lui faudra le faire gratuitement pendant un certain laps de temps. Qu'il n'attende d'elle aucune gratitude.

Autre démarche positive : il pourra admettre sa responsabilité dans sa contamination par le virus du ressentiment, parce qu'il ne lui a pas prodigué les petites choses dont elle avait besoin.

Fort de cette nouvelle compréhension, il sera capable de l'entourer, sans rien espérer recevoir en retour, en attendant qu'elle guérisse de son virus. Et le fait de constater qu'il est capable de résoudre ce problème l'aidera aussi à atténuer son propre ressentiment. On peut donc dire que s'il continue à donner gratuitement, et si elle abandonne son habitude de donner sans compter et accepte son soutien avec amour, leur couple retrouvera vite son équilibre.

Voici quelques raisons pour lesquelles un homme peut cesser de donner :

1 – Les femmes donnent sans compter pour recevoir autant

La femme donne autant qu'elle en est capable et ne s'aperçoit qu'elle a trop peu reçu en retour que lorsqu'elle se sent vidée et épuisée. Au début, à l'inverse de l'homme, elle ne tient pas de comptabilité de leurs scores respectifs et donne sans compter en pensant que son partenaire va faire de même.

Comme on l'a vu, l'homme est différent. Il donne beaucoup, jusqu'à ce que ses calculs lui indiquent que le score est inégal. Alors il referme les vannes et attend que sa femme lui rende la pareille.

Tant que la femme semble heureuse de beaucoup lui donner, l'homme pense tout naturellement qu'elle a fait ses propres calculs et qu'il doit donc encore disposer d'un crédit de points. Il ne songe pas un instant qu'il a pu en fait donner moins qu'elle, parce que lui ne continuerait jamais à distribuer des marques d'amour si le score était fortement déséquilibré en ce qui le concerne. Et si d'aventure il se trouvait contraint de donner encore davantage alors qu'il a déjà fourni plus que sa part, il ne le ferait sûrement pas avec le sourire. Il faut se rappeler cela.

Donc, quand une femme continue à donner librement en souriant, l'homme présume que le score doit être plus ou moins égal. Il ne réalise pas que les Vénusiennes ont cette capacité remarquable de pouvoir donner avec le sourire tant que la différence au score n'est pas d'au moins trente à zéro. Cette constatation a les répercussions pratiques que voici chez l'homme et chez la femme.

Pour l'homme : il doit se rappeler que ce n'est pas parce que la femme donne avec le sourire que, nécessairement, le score est égal ou à peu près.

Pour la femme : elle doit se rappeler qu'en donnant librement à un homme, elle lui fait croire que le score est à peu près égal. Pour le motiver à donner davantage, il faut cesser gentiment et gracieusement de trop lui donner soi-même.

Il faut lui permettre de faire de petites choses pour celle qu'il aime.

Il faut l'encourager en lui demandant de manifester son soutien à travers de petites attentions, puis lui montrer de la considération en retour.

2 – Les Martiens donnent lorsqu'on le leur demande

Les Martiens sont fiers de leur autonomie. Ils ne demandent pas d'aide à moins d'en avoir absolument besoin. Il est même indélicat d'offrir de l'aide à un Martien, à moins qu'il ne l'ait d'abord sollicitée.

Au contraire, les Vénusiennes offrent leur aide sans se poser de questions. Quand elles aiment quelqu'un, elles lui donnent tout ce qu'elles peuvent. Elles n'attendent pas qu'on le leur demande. Plus elles aiment et plus elles donnent.

Lorsque son mari ne lui offre pas le soutien dont elle a besoin, la femme pense qu'il ne l'aime pas. Elle peut même mettre son amour à l'épreuve en ne lui demandant rien et en attendant qu'il l'offre de lui-même. Et lorsqu'il ne saisit pas l'occasion de le faire, elle a du ressentiment à son égard. Elle ne comprend pas qu'il attend simplement qu'elle lui demande ce dont elle a besoin.

Pour la femme : elle doit se rappeler que l'homme attend de recevoir des indices avant de savoir qu'il est temps pour lui de donner plus. Il attend qu'on le lui demande. Il ne semble le comprendre que quand la femme lui demande ouvertement de donner plus, ou lui rappelle son devoir d'apporter davantage à leur relation.

D'autre part, lorsqu'elle le sollicite explicitement, il sait quoi donner, ce qui n'est pas évident pour beaucoup d'hommes.

Pour l'homme : il doit se rappeler que la femme ne réclame pas obligatoirement son soutien quand elle en a besoin. Elle estime que si l'homme l'aime vraiment, il le lui offrira de lui-même.

Il faut s'exercer à soutenir sa partenaire par de petites attentions.

3 – Les Vénusiennes disent oui, même quand le score est inégal

Les hommes ne réalisent pas que, s'ils demandent à leur femme de les aider, elle va dire oui, même si le score de leurs contributions respectives est inégal. Dès lors qu'elle est en mesure de l'aider, elle le fera toujours. Elle n'éprouve pas le besoin de comptabiliser ce qu'elle donne. Attention, cependant : un homme doit prendre garde à ne pas trop demander, car si la femme a l'impression de recevoir moins qu'elle ne donne, elle se laissera rapidement envahir par un profond ressentiment : son partenaire ne la soutient pas autant qu'il le devrait.

L'homme croit à tort qu'aussi longtemps qu'elle répond à ses demandes et à ses besoins, une femme reçoit aussi ce dont elle a besoin. Il pense à tort que le score est égal alors qu'il ne l'est pas.

Je me souviens que, pendant les deux premières années de notre mariage, j'invitais ma femme au cinéma à peu près une fois par semaine. Un jour, elle s'est fâchée et m'a dit : « On fait toujours ce que tu veux. On ne fait jamais ce que j'aimerais faire moi. » J'étais réellement surpris car je croyais qu'aussi longtemps qu'elle disait oui et acceptait mes invitations elle était aussi satisfaite que moi de la situation. Et je pensais qu'elle aimait le cinéma autant que je l'aimais.

Occasionnellement, elle me signalait qu'on jouait tel spectacle en ville, ou qu'elle souhaitait assister à tel concert. En passant devant le théâtre, il lui arrivait de dire spontanément : « Cette pièce a l'air amusante, on devrait aller la voir. » Mais quand, quelques jours plus tard, je lui disais : « On devrait aller voir tel film, la critique est excellente », elle me répondait : « D'accord ! » avec beaucoup d'enthousiasme. J'avais commis l'erreur de croire qu'elle aimait autant que moi aller au cinéma alors que ce qu'elle voulait, en réalité, c'était être avec moi. Le cinéma était un moyen de satisfaire ce désir, mais elle avait également envie de voir d'autres spectacles. Voilà pourquoi elle les mentionnait si souvent devant moi. Mais parce qu'elle acceptait toujours mes invitations au cinéma, je ne me doutais absolument pas qu'elle sacrifiait ses propres préférences pour me faire plaisir.

Les implications pratiques de ce quatrième principe pour les deux sexes sont les suivantes.

Pour l'homme : il doit se rappeler que ce n'est pas parce que sa femme accède à ses demandes que le score est égal. Même si ce dernier est de vingt à zéro, elle continuera encore joyeusement à dire : « Bien sûr, je vais passer prendre ton complet au pressing pour toi. » Ce qui ne signifie pas que c'est ce qu'elle voudrait faire. Il faut donc veiller à lui demander ce qu'elle désire, à s'informer de ce qu'elle aime, à l'inviter aux endroits qui lui plaisent et à assister aux événements qu'elle préfère.

Pour la femme : elle doit se rappeler qu'en acquiesçant immédiatement aux requêtes de son partenaire, elle lui donne de fait l'impression qu'il a contribué plus qu'elle, ou que le score est au moins égal entre eux. Si elle donne déjà davantage et reçoit moins en retour, elle doit cesser d'accéder aux demandes qu'il lui fait. Et au lieu de tout accepter, elle doit plutôt lui suggérer de faire plus pour elle.

COMMENT L'HOMME ACCORDE DES POINTS

La méthode masculine pour donner les points diffère de celle de la femme. Chaque fois que sa femme apprécie ce qu'il a fait pour elle, l'homme se sent aimé et lui accorde des points en retour. Pour que le score demeure assez égal, l'homme a besoin, comme la femme, de voir ses propres besoins émotionnels satisfaits.

Quand une femme apprécie ce que son conjoint fait pour elle, il reçoit déjà une bonne part de l'amour dont il a besoin.

Bien sûr, un homme attend aussi de sa femme une participation équitable dans l'exécution des tâches domestiques quotidiennes, mais s'il ne se sent pas apprécié, la contribution de sa partenaire n'aura pratiquement aucune valeur à ses yeux.

De la même façon, une femme est incapable de reconnaître la valeur des choses importantes que son partenaire fait pour elle s'il ne fait pas aussi une foule de petites choses. C'est cette foule de petites choses qui satisfait son besoin d'attention, de compréhension et de respect.

Les femmes ne remarquent pas toujours les moments où l'homme a vraiment besoin d'amour. Dans ces moments-là, la femme pourrait pourtant marquer vingt ou trente points d'un coup. En voici quelques exemples.

COMMENT UNE FEMME PEUT MARQUER DE NOMBREUX POINTS AUPRÈS D'UN HOMME

La situation	Le nombre de points que cela lui rapporte
1 – Il commet une erreur et elle ne lui dit pas : « Je te l'avais bien dit » et s'abstient de tout conseil.	10 à 20
2 – Il s'égare et, au lieu de se plaindre, elle trouve à son erreur un aspect positif : « Regarde ce sublime coucher de soleil ! On ne l'aurait jamais vu si on avait suivi la route directe. »	20 à 30
3 – Il oublie d'apporter une chose qu'elle lui avait demandée et elle dit : « Ce n'est pas grave, tu me l'apporteras la prochaine fois. »	10 à 20
4 – Elle l'a blessé mais fait l'effort de comprendre pourquoi, de s'excuser et de se montrer pleine de tendresse.	10 à 40
5 – Elle n'essaie pas de le culpabiliser au moment où il commence à se replier en lui-même, c'est-à-dire à se retirer dans sa grotte.	10 à 20
6 – Elle l'accueille à bras ouverts, sans tenter de le punir, lorsqu'il ressort de sa grotte.	10 à 20

7 – Il s'excuse d'une erreur, elle accepte ses excuses et lui accorde son pardon. (Plus l'erreur était grave, plus il accordera de points.)	10 à 50
8 – Il lui demande un service, elle accepte de le lui rendre et reste de bonne humeur.	1 à 10
9 – Il multiplie les petites attentions pour se faire pardonner après une dispute, et elle se laisse dérider.	10 à 30
10 – Elle se montre tout heureuse de le retrouver quand il rentre à la maison.	10 à 20
11 – Elle désapprouve sa conduite mais se contente de se retirer dans une autre pièce pour reprendre ses esprits, et ne reparaît qu'une fois revenue à de meilleures dispositions.	10 à 20
12 – Elle apprécie visiblement leurs ébats amoureux.	10 à 40
13 – Il a égaré ses clés et elle ne le lui reproche pas.	10 à 20
14 – Elle se retient de lui donner des conseils lorsqu'il conduit ou gare la voiture, et elle le remercie de l'avoir amenée à bon port.	10 à 20

15 – Elle sollicite son soutien au lieu d'insister sur ses erreurs.	10 à 20
16 – Elle lui confie ses problèmes simplement, sans les lui reprocher.	10 à 40

Quand une femme peut marquer encore plus de points

Chacun de ces exemples démontre la manière différente qu'ont les hommes et les femmes d'accorder des points. Mais la femme ne doit pas nécessairement faire tout cela, rassurez-vous ! Cette liste se rapporte juste aux moments où l'homme est le plus vulnérable, et s'il peut compter sur le soutien de sa femme dans ces moments-là, il va se montrer très généreux quant au nombre de points qu'il lui accordera.

Comme je l'ai expliqué dans le chapitre 6, la capacité amoureuse d'une femme dans les moments difficiles fluctue comme une vague. C'est lorsque cette capacité est en phase ascendante – dans la remontée de la vague – qu'elle peut marquer le plus de points auprès de son partenaire. Mais elle ne peut pas être aussi aimante en permanence.

CE QUI MET LES HOMMES SUR LA DÉFENSIVE

L'homme peut être vivement fâché contre sa femme s'il a commis une erreur et qu'elle s'en montre irritée. Sa colère sera proportionnelle à l'importance de son erreur, faible pour une broutille et nettement plus violente pour une erreur grave. Les femmes se demandent parfois pourquoi l'homme est incapable de s'excuser quand il a commis une grave erreur. C'est simple, il a peur qu'elles ne la lui pardonnent pas. Il trouve trop pénible de reconnaître qu'il a échoué auprès de sa femme, en quelque sorte. Au lieu de s'excuser, il va souvent se fâcher contre elle parce qu'elle s'est offensée, et lui donner des points de pénalité.

Quand un homme a une attitude négative, il faut le traiter comme un ouragan et se mettre à l'abri en attendant qu'il se calme.

Lorsqu'il se sera calmé, il pourra lui accorder une abondance de points, en reconnaissance du fait qu'elle ne l'aura pas blâmé, ou qu'elle n'aura pas essayé de le faire changer. Si elle tente de résister à la tempête, elle provoquera son déchaînement et il la tiendra pour responsable de tous les dégâts.

Voilà une façon inhabituelle pour les femmes de voir les choses parce que, sur Vénus, lorsqu'une personne est bouleversée, on ne l'ignore jamais. On n'aurait pas non plus l'idée de se cacher pour l'éviter. D'ailleurs, Vénus ne connaît pas d'ouragans. Alors, quand une personne est perturbée, tout le monde se met de la partie et tente de savoir ce qui la dérange, en lui posant beaucoup de questions. Mais, sur Mars, quand un ouragan se déchaîne, tout le monde se cache et attend qu'il s'éloigne.

CHAPITRE 9

Comment demander de l'aide et l'obtenir

Si vous n'obtenez pas l'aide dont vous avez besoin dans votre relation de couple, c'est peut-être que vous ne la demandez pas assez, ou que vous la demandez mal. Dans toute relation, il est essentiel de solliciter l'amour et l'aide dont on a besoin.

Nous avons tous du mal à demander le soutien dont nous avons besoin, les femmes bien plus encore que les hommes. C'est pourquoi je destine ce chapitre aux femmes. Naturellement, le lire aidera également les hommes à mieux comprendre les femmes.

POURQUOI LES FEMMES RÉPUGNENT À DEMANDER

Les femmes pensent à tort qu'elles n'ont pas à demander d'aide. Parce qu'elles ressentent intuitivement les besoins des autres et leur donnent tout ce qu'elles peuvent, elles croient à tort que l'homme peut faire de même. Quand une femme est amoureuse, elle offre instinctivement son amour. Plus la femme est amoureuse et plus elle est motivée pour aider celui qu'elle aime.

Sur Vénus, tout le monde offrant son soutien spontanément, il n'y avait aucune raison de le solliciter. En fait, pour les Vénusiennes, on démontre qu'on aime quelqu'un en ne l'obligeant pas à quémander de l'aide.

Sur Vénus, « ne pas avoir à demander » est une des définitions de l'amour.

Parce que c'est l'un de ses points de référence, la femme pense que si son partenaire l'aime vraiment, il va lui offrir tout le soutien dont elle a besoin et qu'elle n'aura jamais à le lui demander. Elle peut même se forcer à ne rien lui demander, comme pour le tester et vérifier qu'il l'aime réellement. Et pour qu'il réussisse ce test, elle exigera qu'il devine ses besoins et lui offre son aide sans qu'elle ait besoin de le solliciter.

Cette méthode ne peut absolument pas fonctionner avec un homme. Il faut se rappeler que les hommes viennent de Mars et que, pour obtenir de l'aide sur Mars, il faut absolument le demander.

Certaines femmes sont offensées simplement parce qu'elles doivent quémander le soutien d'un homme. Alors, quand elles s'y résigneront, même s'il le leur accorde avec plaisir, elles éprouveront de l'amertume parce qu'elles auront dû le demander. Dans l'esprit d'une femme, ce qu'elle doit demander ne compte pas.

Les hommes réagissent mal aux exigences et au ressentiment. Même quand un homme est disposé à offrir son aide, s'il sent une exigence ou une rancœur, il refusera. Face à l'exigence, il se désintéresse complètement et les chances pour la femme d'obtenir ce qu'elle veut sont donc réduites à néant. Dans certains cas, si l'homme s'aperçoit qu'elle exige plus, il va même lui donner moins pendant quelque temps.

Si la femme ne demande pas d'aide, l'homme pense qu'il lui en donne suffisamment.

Ce mode de comportement rend toute relation intime bien difficile pour la femme qui ne le connaît pas. Mais quoique ce problème paraisse insoluble, il existe des solutions. En vous rappelant que les hommes sont influencés par Mars, vous pourrez apprendre de nouvelles manières, plus efficaces, de demander ce qu'il vous faut.

Savoir motiver un homme

Il y a cinq petits secrets pour demander correctement à un Martien de vous soutenir. Si vous ne les connaissez pas et que vous ne les utilisez pas comme il faut, votre conjoint peut se désintéresser de vous facilement.

1 – Le choix du moment opportun. Veillez à vous abstenir de lui demander de faire une chose qu'il s'apprêtait de toute façon à faire. Ainsi, s'il est sur le point de sortir la poubelle, ne lui dites pas : « Veux-tu sortir la poubelle, s'il te plaît ? » Il aura alors l'impression que vous lui dites ce qu'il doit faire. Il est essentiel de choisir le bon moment. Si votre conjoint est prêt à entreprendre quelque chose, n'allez pas croire qu'il va immédiatement tout lâcher pour faire ce que vous lui demanderez.

2 – Une attitude conciliante. Rappelez-vous qu'une demande n'est pas une exigence. Si vous tapez du pied ou manifestez du ressentiment, vous aurez beau choisir les mots les plus aimables et les plus délicats, il aura quand même l'impression que vous n'appréciez pas ce qu'il fait déjà pour vous. Il refusera et répondra probablement par la négative à votre demande.

3 – **La brièveté.** Évitez de lui donner une liste des raisons pour lesquelles il devrait vous aider. Arrangez-vous pour ne pas devoir le convaincre. Plus vous passerez de temps à lui donner des explications, plus il résistera. De longues explications pour justifier vos demandes vont lui donner l'impression que vous doutez qu'il puisse vous soutenir. Et il se sentira alors manipulé plutôt que libre de vous accorder son soutien.

Quand vous sollicitez l'aide d'un homme, agissez comme si vous ne supposiez pas une seconde qu'il vous faille le convaincre de vous l'apporter.

Tout comme une femme bouleversée ne veut pas entendre les raisons pour lesquelles elle ne devrait pas l'être, l'homme ne veut pas entendre les raisons et les explications selon lesquelles il devrait soutenir sa partenaire. Les femmes ont la mauvaise habitude de donner une série de raisons pour justifier leurs besoins. Elles pensent que cela peut permettre à leur partenaire de comprendre la légitimité de leur demande, et par conséquent le motiver à agir. En l'écoutant, l'homme entend : « Voici pourquoi il faut que tu fasses ce que je te demande de faire. » Plus leur liste de raisons est longue et plus il y a de risques que l'homme y résiste. Vous pourriez lui exposer vos raisons s'il vous demandait : « Pourquoi ? » Mais, même dans ce cas, vous devriez avoir la prudence de le faire brièvement. Faites comme si vous étiez absolument sûre qu'il va vous exaucer s'il le peut, et soyez aussi brève que possible.

4 – Une approche directe. Les femmes pensent qu'elles demandent du soutien quand, en réalité, elles ne le font pas. Lorsqu'une femme sent qu'elle a besoin d'assistance, elle entreprend d'expliquer son problème à son partenaire, mais sans le solliciter ouvertement et clairement. Elle persiste à croire qu'il va lui offrir de la soutenir, mais elle évite de le lui demander directement. Une demande indirecte est sous-entendue, mais pas directement formulée. Devant ce genre de sollicitation détournée, l'homme a l'impression qu'on tient son soutien pour acquis et qu'on ne l'apprécie pas. On peut certainement utiliser des affirmations indirectes de temps en temps, mais lorsque la femme se sert trop souvent de cette formule, l'homme est tenté de lui refuser son soutien. Il ne sait peut-être même pas pourquoi il résiste ainsi. Nous allons maintenant voir une série de phrases qui sont toutes des demandes indirectes, et la manière dont l'homme répond généralement à ces phrases.

CE QUE L'HOMME RISQUE DE (MAL) COMPRENDRE LORSQUE SA FEMME S'EXPRIME DE MANIÈRE DÉTOURNÉE

Ce qu'elle devrait dire (bref et direct)	**Ce qu'elle ne doit pas dire** (indirect)	**Ce que l'homme risque de comprendre**
« Tu veux bien passer chercher les enfants ? »	« Il faudrait aller chercher les enfants, et je n'ai absolument pas le temps de le faire. »	« Si tu peux passer chercher les enfants, fais-le, sinon j'aurai l'impression que tu ne me soutiens pas et je t'en voudrai. » (chantage affectif)

« Tu veux bien rentrer les provisions ? »	« Les provisions sont dans la voiture. »	« C'est à toi de les rentrer car j'ai déjà accompli ma part du travail en faisant les courses. » (exigence)
« Tu veux bien sortir la poubelle ? »	« La poubelle est pleine. »	« Une fois de plus, tu n'as pas sorti la poubelle. Tu ne m'aides vraiment pas beaucoup. » (critique)
« Tu veux bien nettoyer la cour ? »	« La cour est dégoûtante. »	« Une fois de plus, tu n'as pas nettoyé la cour. C'est pourtant ton boulot. Je ne peux pas passer ma vie à te rappeler ce que tu dois faire. » (rejet)
« Tu veux bien aller chercher le courrier ? »	« Le courrier est encore dans la boîte aux lettres. »	« Tu as oublié d'aller chercher le courrier. Tu aurais dû y penser. » (désapprobation)
« Tu veux bien nous emmener dîner au restaurant ? »	« Je n'ai pas le temps de préparer le dîner. »	« Avec tout ce que j'ai fait aujourd'hui, tu pourrais au moins nous emmener dîner au restaurant. » (insatisfaction)

« J'aimerais bien que nous sortions, un soir de cette semaine. »	« Nous ne sommes pas sortis depuis des semaines. »	« Tu me négliges. Tu ne prends pas soin de moi comme tu le devrais. Nous devrions sortir plus souvent. » (ressentiment)
« Tu veux bien te libérer un moment pour que nous discutions ? »	« Il faut qu'on parle. »	« C'est ta faute si nous parlons si peu. Tu devrais m'accorder plus de temps. » (reproche)

5 – Des mots adaptés. Une des erreurs que les femmes commettent le plus souvent lorsqu'elles sollicitent le soutien de leur partenaire est d'utiliser le verbe *pouvoir* en lieu et place du verbe *vouloir* : elles demandent « Peux-tu » ou « Pourrais-tu ? » alors qu'elles veulent dire « Veux-tu ? » ou « Voudrais-tu ? »... « Pourrais-tu sortir la poubelle ? » est une banale question destinée à obtenir un renseignement d'ordre pratique (« Serais-tu capable de sortir la poubelle ? »), alors que « Voudrais-tu sortir la poubelle ? » est un service demandé.

Or les hommes sont fort peu réceptifs aux demandes indirectes. Et une succession de « peux-tu » et de « pourrais-tu » finit par les irriter.

Lorsque je suggère aux femmes de demander du soutien, elles ont tendance à paniquer parce qu'elles ont souvent entendu de la part de leur partenaire des remarques comme :

« Arrête de me harceler ! »

« Arrête de me demander sans cesse quelque chose ! »

« Arrête de me dire ce que je dois faire ! »

« Je sais ce que j'ai à faire ! »

« Tu n'as pas besoin de me dire ça ! »

Le ton de ces remarques est désagréable aux oreilles féminines, mais le message que les hommes cherchent à transmettre par leur biais est : « Je n'aime pas ta manière de demander. » Elles ont peur de formuler leurs demandes et utilisent des mots comme « peux-tu » parce qu'elles pensent que c'est plus poli. Bien que ce genre de formules soit bien accepté par les Vénusiennes, il ne donne que des résultats négatifs auprès des Martiens.

Selon la philosophie martienne telle que nous l'avons déjà décrite, c'est une insulte de dire à quelqu'un : « Peux-tu sortir la poubelle ? » Naturellement qu'il « peut » sortir la poubelle (il en est physiquement capable), mais là n'est pas la question. Sa femme cherche en fait à savoir s'il *veut* bien le faire... Et si elle utilise à mauvais escient le verbe « pouvoir », il risque fort de refuser, par pur et simple agacement.

Ce que les hommes voudraient qu'on leur demande

Quand, au cours de mes séminaires, j'explique la différence de signification – et d'effet – entre les verbes pouvoir et vouloir et leurs dérivés, les Vénusiennes pensent d'abord que j'accorde beaucoup trop d'importance à une chose qui n'en a pas tant. En fait, les femmes ne saisissent pas très bien cette différence, parce que pour elles « peux-tu » est encore plus poli que « veux-tu ». Mais pour les hommes, il y a une énorme différence entre ces deux façons de parler. Et c'est parce que la gent masculine attache tellement d'importance à cette différence que j'inclus ici quelques commentaires d'hommes qui ont suivi mes séminaires.

1 – Quand on me dit : « Pourrais-tu nettoyer la cour ? », je le prends à la lettre et je réponds : « Je pourrais le faire, bien sûr. C'est possible ! » Mais je ne dis pas : « Je vais le faire ! » Je n'ai donc pas l'impression de m'être engagé à le faire. Mais si on me demande : « Voudrais-tu nettoyer la cour ? », je sens le besoin de décider et l'envie d'accorder mon soutien. Et si je dis oui, je le ferai sans doute parce que je m'y suis engagé.

2 – Quand elle dit : « J'ai besoin de ton aide, pourrais-tu m'aider, s'il te plaît ? », cela résonne à mes oreilles comme une critique, comme si j'avais déjà failli à la tâche. Je n'ai pas l'impression d'être invité à agir comme le « bon mari » que je veux être auprès d'elle, ni qu'elle sollicite mon soutien. Mais : « J'ai besoin de ton aide, voudrais-tu porter ceci pour moi, s'il te plaît ? » me paraît une demande directe et une occasion de jouer mon rôle de « bon mari », et cela me donne envie de dire oui.

3 – Quand j'entends : « Voudrais-tu m'aider s'il te plaît ? », j'ai la sensation qu'elle me donne l'occasion de lui rendre service et je suis bien d'accord pour l'aider. Mais quand j'entends : « Pourrais-tu m'aider, s'il te plaît ? », je me sens comme acculé. Elle ne me donne pas le choix. Si j'ai la capacité de l'aider, je dois le faire parce qu'elle s'attend que je le fasse. Je ne me sens donc pas apprécié.

4 – Quand je réponds oui à une question qui commence par « Peux-tu ? », le ressentiment m'envahit. Je crains qu'elle ne me fasse une scène si je dis non, et je me sens manipulé. Mais quand elle me prend par le « Voudrais-tu... », je me sens libre d'accepter ou de

refuser. Et comme c'est moi qui décide, j'ai envie de dire oui.

5 – Quand une femme commence ses demandes par « voudrais-tu » ou « veux-tu », je sens sa vulnérabilité, et je deviens beaucoup plus sensible à ses besoins. Je n'ai absolument pas envie de la rejeter en disant non. Mais quand elle me dit « peux-tu », j'ai beaucoup plus de facilité à dire non, parce qu'à ce moment-là mes paroles ne sont pas un rejet. Elles sont simplement une affirmation impersonnelle du fait que je ne peux pas. Je crois donc qu'elle n'a pas à s'offenser personnellement si je dis non à son « peux-tu ».

Un bon moyen pour les femmes de saisir la différence significative qui existe entre « vouloir » et « pouvoir » est de réfléchir un instant à la scène romantique qui suit.

Imaginez un homme demandant une femme en mariage sous un superbe clair de lune. Le cœur battant, il met un genou en terre, lui prend les mains, puis la regarde dans les yeux en demandant... « Peux-tu m'épouser ? »

Tout le romantisme de la scène vient de s'envoler d'un seul coup. L'utilisation du verbe pouvoir indique que le prétendant se juge indigne de se marier avec sa dulcinée. À ce moment précis, il s'est montré plein d'insécurité et sans amour-propre. S'il avait dit plutôt : « Veux-tu m'épouser ? », sa force et sa vulnérabilité seraient restées intactes, parce que c'est la bonne façon de demander une femme en mariage.

Pour la même raison, les hommes préfèrent les requêtes formulées à partir du verbe vouloir. Les termes dérivés du verbe pouvoir ont une connotation de faiblesse et de méfiance, et puis ils sont trop indirects et manipulateurs.

Dites :	Ne dites pas :
« Voudrais-tu sortir la poubelle ? »	« La cuisine est un cloaque et je ne pourrai rien faire entrer de plus dans la poubelle. Il faudrait la vider. Pourrais-tu le faire ? » (formule de demande trop longue et utilisant le verbe pouvoir)
« Voudrais-tu m'aider à déplacer cette table ? »	« Je n'arrive pas à déplacer cette table et je dois le faire pour notre réception de ce soir. Pourrais-tu m'aider, s'il te plaît ? » (même remarque)
« Voudrais-tu ranger ceci pour moi, s'il te plaît ? »	« Je ne peux pas tout ranger seule. » (message détourné)
« Voudrais-tu aller chercher le reste des courses dans la voiture ? »	« Il reste quatre sacs de provisions dans la voiture, et j'en ai besoin pour préparer le dîner. Pourrais-tu aller me les chercher ? » (à la fois trop long et indirect, et utilise « Pourrais-tu ? »)
« Voudrais-tu acheter un litre de lait sur le chemin du retour ? »	« L'épicerie est sur ton chemin et je n'ai plus de lait pour Lauren. Et, fatiguée comme je suis, je ne me sens pas le courage de ressortir. J'ai passé une journée épouvantable. Pourrais-tu acheter un litre de lait ? » (long, indirect, et utilise « Pourrais-tu ? »)

« Tu veux bien nous emmener dîner au restaurant ? »	« Je suis trop fatiguée pour préparer un dîner et puis ça fait longtemps que nous ne sommes pas allés au restaurant. Tu n'aurais pas envie d'y aller, ce soir ? » (long et indirect)
« Voudrais-tu faire un feu dans la cheminée ? »	« Il fait très froid. Vas-tu faire un feu ? » (trop indirect)
« Voudrais-tu aider Lauren à mettre ses souliers ? »	« Lauren n'a pas encore enfilé ses souliers et nous sommes en retard. Je n'arrive pas à tout faire toute seule ; pourrais-tu m'aider ? » (long, indirect, et utilise « Pourrais-tu ? »)
« Voudrais-tu m'accorder quelques minutes, maintenant ou plus tard, si tu préfères, pour que nous discutions ? »	« Je ne sais plus ce qui se passe. Nous ne parlons jamais de rien et j'ai besoin de savoir ce que tu fais. » (long et indirect)

Comme vous avez dû le constater maintenant, ce que vous avez toujours pensé être des demandes n'en était pas du tout pour un Martien, qui comprend vos paroles tout autrement. Il faut faire un effort conscient pour effectuer les petites mais importantes modifications qui s'imposent dans votre façon de demander de l'aide. D'autres amorces de demandes pourraient être aussi bien reçues, comme « Me ferais-tu le plaisir de... », « Accepterais-tu de... » ou « Cela t'ennuierait-il de... », etc.

Et n'oubliez pas de lui exprimer votre satisfaction et vos remerciements en retour.

Questions courantes sur l'art et la manière de demander de l'aide

Voici certaines questions courantes qui vous donneront des indices sur la résistance que les femmes doivent vaincre pour réussir.

1 – **Question :** « Pourquoi dois-je lui demander son aide quand je n'exige pas qu'il fasse de même pour lui offrir la mienne ? »

Réponse : rappelez-vous que les hommes viennent de Mars, qu'ils sont différents des femmes. C'est en acceptant ces différences chez votre conjoint, et en apprenant à vous en servir, que vous obtiendrez ce que vous voulez. Si, au contraire, vous essayez de le faire changer, il va résister avec entêtement. Même si ce n'est pas dans la nature d'une Vénusienne de demander ce dont elle a besoin, vous pouvez très bien le faire sans cesser d'être vous-même. Lorsque votre mari se sentira aimé et apprécié, il se sentira progressivement plus enclin à vous donner le soutien que vous lui avez demandé.

2 – **Question :** « Pourquoi dois-je m'émerveiller à voix haute de ce qu'il fait alors que je fais encore plus pour lui ? »

Réponse : les Martiens donnent moins quand ils ne se sentent pas appréciés. Si vous voulez qu'il vous donne plus, alors il faut lui donner plus d'appréciation. C'est l'appréciation qui motive les hommes. Il est vrai que si vous lui donnez déjà plus qu'il ne vous donne en retour, vous trouverez difficile de lui montrer plus d'appréciation. Alors commencez à moins lui donner tout en l'appréciant mieux. En effectuant ce changement, non seulement vous l'aiderez à se sentir mieux aimé parce que soutenu, mais vous recevrez vous-même en retour le soutien dont vous avez besoin et que vous méritez.

3 – Question : « Si je dois lui demander le soutien dont j'ai besoin, il pensera peut-être qu'il me fait une faveur en accédant à ma demande. »

Réponse : voici comment il va se sentir ; un cadeau d'amour est une faveur, et quand l'homme sent qu'il vous fait une faveur, il donne vraiment avec son cœur. Souvenez-vous, c'est un Martien et il ne compte pas les points de la même façon que vous. S'il a l'impression d'être obligé de donner, il vous opposera une grande résistance.

4 – Question : « Quand je lui demande de l'aide, j'ai peur d'être trop brève, je veux lui expliquer pourquoi j'ai besoin de son soutien parce que je ne veux pas paraître exigeante. »

Réponse : quand l'homme entend sa partenaire lui demander quelque chose, il pense qu'elle a de bonnes raisons de le faire. Si elle se met à lui énumérer des raisons pour qu'il accepte de satisfaire sa demande, il va avoir l'impression qu'il n'a pas le droit de dire non. Et quand il n'a pas le droit de refuser, il a toujours l'impression qu'on le manipule, ou qu'on tient ses actions pour acquises.

S'il a besoin d'explications, il va les demander, et ce sera le moment de les lui donner. Mais, même alors, il faudra veiller à ne pas prendre trop de son temps. Donnez-lui une, ou tout au plus deux raisons. S'il a besoin d'en savoir davantage, il vous le dira.

Une relation de couple est saine quand les deux partenaires se sentent aussi à l'aise pour demander ce qu'ils veulent que libres de refuser s'ils choisissent de le faire.

Par exemple, un jour, un ami nous rendait visite et nous étions dans la cuisine quand ma fille Lauren, qui devait avoir cinq ans, me demanda de lui faire faire des pirouettes. Je lui ai dit : « Non, pas aujourd'hui, je suis trop fatigué. »

Elle insista en me disant : « Viens, papa, s'il te plaît, viens donc ! Juste une pirouette ! »

Mon ami dit alors : « Voyons donc, Lauren, ton papa est fatigué, il a travaillé toute la journée. Tu devrais le laisser tranquille. » Et Lauren répondit : « Mais j'ai le droit de le lui demander. »

Et mon ami de reprendre : « Mais tu sais que ton père t'aime, et qu'il est incapable de te dire non. »

(En l'occurrence, si le père est incapable de dire non, c'est son problème à lui, et non pas celui de la petite.)

Ma femme et mes trois filles ont immédiatement réagi en chœur en disant : « Ah si, il en est capable ! »

J'étais fier de ma famille. Il avait fallu beaucoup d'efforts, mais nous avions tous progressivement appris non seulement à savoir demander, mais aussi à accepter un refus.

POURQUOI LES HOMMES GROMMELLENT

L'art de demander consiste à demeurer silencieuse après avoir fait votre demande. Une fois la question posée, il se peut que votre interlocuteur grommelle, marmonne, rechigne, rage et cherche des excuses.

J'appelle cette résistance de l'homme aux demandes de la femme le « grommellement ». Plus un homme est concentré sur autre chose au moment de votre demande, plus il va grommeler. Mais ce grommellement n'a rien à voir avec votre demande, il n'est qu'une indication de son degré de concentration au moment de celle-ci.

La femme va généralement mal interpréter le grommellement de son mari. Elle croit à tort qu'il ne veut pas accéder à sa demande. Mais il n'en est rien. Sa grogne indique qu'il est en train de considérer la demande qu'elle lui a faite. S'il refusait de la considérer, il dirait très calmement et simplement non sur-le-champ. Quand un homme grogne, c'est bon signe. Cela veut dire qu'il est en train de considérer votre demande par rapport à ses besoins.

Quand un homme grogne, c'est bon signe. Cela veut dire qu'il est en train de considérer votre demande par rapport à ses besoins.

Il doit passer par un processus de résistance interne, en tentant de se détourner de ce sur quoi il était concentré, pour aller vers l'objet de votre demande. Comme une porte dont les charnières sont rouillées, en se détournant ainsi, l'homme émet des bruits tout à fait inhabituels, mais si vous ignorez sa grogne il va très bientôt redevenir doux et silencieux.

Souvent, quand l'homme grommelle, il est en train d'accepter votre demande. Parce que la plupart des femmes interprètent mal cette réaction, ou bien elles évitent de solliciter le soutien de leur partenaire, ou bien elles s'offensent et le rejettent elles-mêmes à leur tour.

Par exemple, si une femme demande à son conjoint d'aller chercher quelque chose à la cuisine alors qu'il se prépare à aller au lit, il est naturel qu'il grogne. « Je suis fatigué, dit-il d'un air ennuyé, je vais me coucher. » Si vous interprétez sa réponse comme un rejet, vous pouvez répliquer en disant : « J'ai fait le dîner, j'ai fait la vaisselle, j'ai mis les enfants au lit, et tout ce que tu trouves à faire, c'est de t'étendre sur ce lit ! Je ne te demande pas tant que ça. Tu pourrais au moins m'aider, maintenant. Je suis épuisée, et j'ai l'impression de tout faire toute seule. »

C'est là que les partenaires commencent habituellement à se disputer. D'un autre côté, si vous savez que c'est seulement du grommelage, et que celui-ci est généralement un début d'acceptation, vous serez capable de garder le silence. Et ce silence indiquera à votre partenaire que vous avez encore confiance en sa capacité de s'adapter et de vous dire oui.

C'est lorsque ma femme m'a demandé d'aller chercher du lait alors que je m'apprêtais à me coucher que j'ai découvert ce procédé. Je me souviens d'avoir grommelé très fort. Mais au lieu de s'obstiner, ma femme est tout simplement restée silencieuse, certaine que je finirais par obtempérer. Et c'est en continuant à grogner, puis en claquant la porte, que je suis finalement sorti, que j'ai sauté dans ma voiture et que je suis allé à l'épicerie.

Alors il s'est passé quelque chose d'extraordinaire, quelque chose qui arrive à tout homme mais que les femmes ne savent pas. À mesure que j'approchais de mon nouvel objectif, le lait, mon humeur s'est calmée et j'ai commencé à ressentir l'amour que j'avais pour ma femme et mon désir de lui offrir mon soutien, de l'aider. Je me suis mis à me voir comme le « bon mari » et, croyez-moi, c'est une sensation bien agréable.

Une fois au magasin, j'étais heureux d'être venu chercher le lait, et en touchant la bouteille, je sentais que je venais d'atteindre mon objectif. Un homme se sent toujours heureux quand il atteint son objectif. J'ai vivement soulevé la bouteille de lait et je me suis retourné avec un fier sourire comme pour dire : « Hé ! Regardez-moi ! Je suis venu chercher du lait pour ma femme ! Je suis l'un de ces hommes généreux, un vrai bon mari ! »

Quand je suis revenu à la maison avec le lait, elle était ravie. Elle m'a embrassé et m'a dit : « Merci beaucoup ! Je suis contente de ne pas avoir dû me rhabiller pour sortir. » Si elle m'avait ignoré, je lui en aurais probablement voulu. Et la fois d'après, quand elle m'aurait demandé d'aller chercher du lait, j'aurais probablement grogné encore bien plus fort. Mais elle ne m'a pas ignoré, elle m'a submergé d'amour.

En observant ma propre réaction, je me disais : « Quelle femme merveilleuse ! Malgré ma résistance et ma grogne, elle m'apprécie toujours ! »

La fois suivante, quand elle m'a demandé d'aller chercher du lait, j'ai un peu moins grogné et, quand je suis revenu, elle m'a encore montré son appréciation. Alors, la troisième fois, je lui ai automatiquement et immédiatement répondu : « Avec plaisir ! »

Une semaine plus tard, je me suis rendu compte qu'on allait bientôt manquer de lait et je lui ai proposé d'aller en chercher. Elle m'a dit qu'elle allait à l'épicerie et qu'elle en achèterait. À ma propre surprise, je me suis senti déçu. J'avais envie d'aller chercher le lait ! Son amour m'avait programmé à dire oui. Aujourd'hui encore, quand elle me demande d'aller chercher du lait, je vous assure que je suis très heureux de dire oui.

J'ai personnellement vécu cette étonnante transformation. Son acceptation de ma grogne et son appréciation à mon retour ont vaincu ma résistance. Et à partir de ce moment-là, plus ma femme pratiquait cette méthode pour demander quelque chose en imposant le respect, plus il devint facile pour moi d'accéder à ses demandes.

Le silence lourd de sens

Gardez-vous bien de désapprouver ses grognements. Tant que vous faites cette pause psychologique et que vous restez silencieuse, il est possible qu'il vous accorde le soutien que vous lui demandez. Mais dès que vous brisez le silence, vous perdez votre pouvoir.

Voici quelques commentaires souvent automatiques qui font que les femmes brisent le silence et, sans le vouloir, perdent leur pouvoir.

« Oh, laisse tomber ! »

« Je ne peux pas croire que tu me refuses ça, avec tout ce que je fais pour toi ! »

« Je ne te demande pourtant pas grand-chose. »

« Ça te prendra à peine un quart d'heure. »

Mais attention ! Il peut ne pas dire oui tout de suite, ou essayer de discuter avec vous en vous posant des questions pendant que vous faites cette pause. Il peut vous demander, par exemple :

« Pourquoi ne peux-tu pas le faire toi-même ? »

« Je n'ai vraiment pas le temps, voudrais-tu le faire ? »

« Je suis occupé et je n'ai pas le temps. Et toi ? »

Souvent, il pose ces questions par principe, il n'attend pas vraiment de réponse. Ne parlez pas, à moins d'être convaincue qu'il en exige une. S'il le faut absolument, donnez-lui la réponse la plus courte possible, puis reformulez votre demande. Demander en imposant le respect signifie demander avec confiance, et avec l'assurance qu'il va vous offrir son soutien s'il en est capable.

S'il vous répond par un non ou vous pose des questions, servez-lui une réponse courte en lui faisant comprendre que vos besoins sont aussi importants que les siens. Ensuite, réitérez votre demande. Voici des exemples de ce genre d'échanges.

Ce qu'il dit pour résister à votre demande :	Ce que vous pouvez répondre :
« Je n'ai pas le temps, peux-tu le faire ? »	« Je suis si occupée, voudrais-tu le faire, s'il te plaît ? » Puis redevenez parfaitement silencieuse.
« Non, je ne veux pas le faire. »	« Tu me ferais tellement plaisir ! Fais-le donc pour moi ! » Puis redevenez parfaitement silencieuse.
« Je suis occupé, et toi ? »	« Moi aussi. Est-ce que tu voudrais bien le faire, s'il te plaît ? » Puis redevenez parfaitement silencieuse.
« Non, je n'ai pas envie de le faire. »	« Moi non plus, mais j'apprécierais vraiment que tu le fasses pour moi. » Puis redevenez parfaitement silencieuse.

Remarquez que vous n'essayez pas vraiment de le convaincre, vous ne faites que contrebalancer sa résistance. S'il est fatigué, n'essayez pas de lui prouver que vous êtes plus fatiguée que lui, et qu'il devrait vous aider. Ou s'il pense qu'il est trop occupé, ne tentez pas de le convaincre que vous êtes encore plus occupée que lui. Évitez de lui donner des raisons pour lesquelles il devrait faire ce que vous lui demandez. Rappelez-vous que vous devez demander quelque chose, et non exiger quelque chose.

S'il persiste dans son refus, ce n'est pas le moment de lui faire part de votre déception. Rappelez-vous que, si vous devez laisser faire cette fois-ci, il se souviendra de votre attitude amoureuse et sera plus enclin à vous offrir son soutien la prochaine fois.

POURQUOI L'HOMME EST SI SUSCEPTIBLE

Vous pouvez vous demander pourquoi l'homme est aussi susceptible quand la femme lui demande de la soutenir. Ce n'est pas parce qu'il est paresseux, mais parce qu'il a un besoin viscéral d'être accepté. Et toute requête qui lui demande plus que ce qu'il donne déjà, en somme tout ce qui peut ressembler à une insinuation qu'il ne fait pas assez ou qu'il ne donne pas assez, lui donne l'impression qu'il n'est pas accepté tel qu'il est.

Tout comme la femme est plus sensible à son besoin d'être entendue et comprise lorsqu'elle fait part de ses sentiments, l'homme est plus sensible à son besoin d'être accepté pour lui-même, tel qu'il est. Toute tentative de l'améliorer lui donne l'impression que vous voulez le changer, parce qu'il n'est pas à la hauteur de vos attentes.

Lorsque l'homme constate que sa femme lui demande davantage et qu'elle essaie de le changer, le message qu'il reçoit, c'est qu'elle doit penser qu'il est brisé ou défectueux. Et il est bien compréhensible qu'il ne se sente pas aimé tel qu'il est.

Si vous assimilez l'art de demander le soutien de votre partenaire, votre relation de couple s'enrichira progressivement. À mesure que vous serez plus capable de recevoir l'amour et le soutien dont vous avez besoin, votre partenaire sera naturellement plus heureux. C'est quand ils ont réussi à satisfaire les personnes qui leur tiennent le plus à cœur que les hommes sont le plus heureux. En apprenant à demander correctement le soutien qu'il vous faut, non seulement vous aiderez votre mari à se sentir plus aimé, mais vous vous assurerez de recevoir l'amour dont vous avez besoin et que vous méritez.

CHAPITRE 10

Comment éviter les disputes

Un des aspects les plus délicats d'une relation de couple est la gestion des inévitables désaccords et divergences d'opinion qui ne manquent pas de surgir. La plus petite dissension peut souvent tourner à l'explication, puis à la dispute, et même, dans les cas les plus graves, donner lieu à une véritable querelle. En un éclair, les mots tendres laissent la place aux insinuations, aux récriminations, aux remontrances et aux accusations, quand on n'en vient pas carrément aux insultes et autres injures.

Ce genre d'explication est néfaste car non seulement les deux protagonistes se font du mal, mais en plus elle mine leur relation.

Si la communication est le plus important des éléments fondateurs d'une relation de couple, les disputes peuvent en être le plus destructeur.

Deux adversaires aussi intimes savent trop bien comment se blesser l'un l'autre. Pour ma part, et pour limiter la casse, je recommande toujours de ne jamais tenter de faire à tout prix prévaloir son point de vue dans une discussion avec son partenaire. Au lieu d'essayer d'imposer votre point de vue, pesez plutôt ensemble le pour et le contre de tout sujet. Il est possible d'être franc et honnête, de discuter de n'importe quel sujet et même d'exprimer des sentiments négatifs sans se disputer.

Certains couples se déchirent en permanence, au point de finir par tuer leur amour. À l'autre extrême, on trouve des couples qui refoulent leurs émotions pour éviter les conflits. Eux aussi s'exposent à voir s'éteindre leurs sentiments amoureux à force de répression. Dans le premier cas c'est la guerre ouverte, dans le deuxième la guerre froide.

Il est évidemment toujours préférable pour un couple de viser un point d'équilibre entre ces deux extrêmes. Si l'on garde présent à l'esprit le fait que les hommes et les femmes viennent de planètes différentes, et que l'on veille à entretenir au sein de son couple une bonne communication, il devient tout à fait possible d'éviter les disputes, sans réprimer ses sentiments négatifs, ses idées ni ses divergences d'opinion.

CE QUI SE PASSE AU COURS D'UNE DISPUTE

Quand on ignore ou qu'on oublie momentanément que les hommes et les femmes sont différents, il est très facile d'engager une dispute dont aucun des deux protagonistes ne sortira indemne.

Ce ne sont pas tant nos différences ou nos désaccords qui blessent que la manière dont nous les exprimons. Idéalement, une discussion ne doit meurtrir personne. Un couple qui communique efficacement peut parvenir à s'en tenir à des conversations à bâtons rompus au cours desquelles il examinera ses divergences d'opinion (tous les couples en ont occasionnellement).

Dans la pratique, les choses se passent rarement aussi bien : on commence par s'expliquer sur un sujet de discorde puis, au bout de quelques minutes, on élargit le débat et très vite on se retrouve, sans très bien savoir comment, en train de se disputer sur la manière dont on se dispute. Et c'est là que l'on se met à se faire mal. Ce qui aurait pu n'être qu'une discussion franche, menant à un accord et à l'acceptation mutuelle de nos différences, dégénère en affrontement. Et chacun des belligérants refuse d'accepter le point de vue de l'autre, en grande partie à cause de la manière dont il lui est présenté.

Pour désamorcer une dispute, il faut savoir faire preuve de souplesse afin d'harmoniser le point de vue de l'autre avec le sien. Mais cela n'est possible que si l'on se sent aimé et respecté. Si notre partenaire n'a pas une attitude aimante, nous refusons d'adopter son point de vue parce que notre amour-propre est blessé.

Plus nous sommes intimes avec quelqu'un, plus il nous est difficile d'entendre son point de vue sans mal réagir. Trop souvent, nous nous murons dans une attitude défensive pour résister à ses arguments et nous protéger contre toute désapprobation ou tout manque de respect de sa part. Et même quand nous sommes d'accord avec lui, il pourra nous arriver de camper obstinément sur nos positions.

POURQUOI LES DISPUTES FONT MAL

Un homme qui se sent mis au défi s'obnubile tellement sur la nécessité d'avoir raison qu'il en oublie souvent de rester malgré tout aimant. Tendresse et respect envolés au vent de sa colère, il ne réalise pas à quel point il peut paraître indifférent et blesser sa partenaire. Dans ces circonstances, pour une femme, un simple désaccord s'assimile à une attaque, et la moindre requête devient un ordre. Et, naturellement, elle va résister à une approche aussi insensible alors que, devant une autre attitude, elle serait bien disposée à recevoir le même message.

Une fois qu'il a sans le vouloir blessé sa partenaire par ses propos inconsidérés, l'homme s'entêtera à lui expliquer pourquoi elle ne devrait pas s'en offusquer. Persuadé qu'elle résiste à son propos, alors qu'elle est offensée par sa manière de donner son point de vue, il se concentre plus sur le fond de son discours que sur sa forme... sans se rendre compte qu'en faisant cela il va provoquer une dispute. Si on l'interrogeait, il répondrait que c'est sa femme qui lui cherche querelle. Il défend son point de vue tandis qu'elle se défend contre ses expressions acerbes et blessantes.

En ignorant de la sorte les sentiments meurtris de sa femme, il nie la légitimité desdits sentiments, augmentant ainsi sa souffrance. Parfois, n'étant lui-même pas conscient du caractère blessant du ton et des propos qu'il emploie, il ne comprend même pas la souffrance de son interlocutrice. Il ne soupçonnera donc pas la résistance qu'ils soulèvent chez elle.

De leur côté, les femmes ne réalisent pas toujours le mal qu'elles peuvent faire à leur mari dans une dispute. À leur insu, le ton de leur voix se fait de plus en plus défiant et méprisant au fur et à mesure que la colère monte. C'est là une forme de rejet particulièrement douloureuse pour un homme, surtout venant de la femme qu'il aime.

Dans une escalade verbale, la femme commence par reprocher à son partenaire son comportement, puis elle se met à lui donner des conseils non sollicités. Si elle ne tempère pas ses critiques de remarques exprimant sa confiance et son acceptation à l'égard de son mari, celui-ci réagit négativement, ce qui la laisse perplexe : encore une fois, elle ne devine pas les ravages que son manque de confiance provoque en lui.

S'il faut être deux pour se disputer, une personne déterminée suffit pour interrompre le processus. Le meilleur moyen de mettre fin à une confrontation étant de la tuer dans l'œuf, il faut s'efforcer d'en reconnaître les signes annonciateurs et, dès qu'une discussion menace de dégénérer en dispute, cesser de parler et prendre un instant de répit pour réfléchir à ce que l'on dit et à la façon dont on le dit. À l'évidence, quelque chose ne va pas. Après une pause, on reprend la conversation sur un ton plus aimant et respectueux et on s'efforce de donner à son partenaire ce qu'il attend. Ces courtes périodes de silence permettent de se calmer, de panser ses blessures et de reprendre possession de ses moyens, avant de rétablir la communication.

POURQUOI NOUS NOUS DISPUTONS

Les hommes et les femmes entrent régulièrement en conflit à propos de questions aussi diverses que l'argent, le sexe, les décisions à prendre, le manque de temps, les valeurs de base, l'éducation des enfants ou le partage des tâches domestiques. Mais si tant de discussions au départ anodines virent à la querelle, c'est toujours pour une seule et unique raison : parce qu'on ne se sent pas assez aimé. L'impression de manquer d'amour engendre une telle souffrance émotionnelle qu'il devient presque impossible de demeurer aimant.

Ne venant pas de Mars, les femmes ne comprennent pas d'instinct ce dont un homme a besoin pour faire face à un désaccord. Tout conflit d'idées, de sentiments ou de désirs représente pour un homme un défi très ardu. Plus il est intime avec une femme, plus les différends et les désaccords qui l'opposent à elle lui seront pénibles. Quand elle n'aime pas ce qu'il fait, il le prend comme une offense personnelle, car il en déduit que c'est lui qu'elle n'aime pas. Autrement dit, l'homme ne peut faire face efficacement aux tensions qui surgissent dans son couple que si ses besoins émotionnels essentiels sont satisfaits. Mais dès qu'il pense manquer d'amour, le côté sombre de son caractère prend le dessus et il se met sur la défensive, brandissant instinctivement son épée.

En apparence, il discute de sujets litigieux (l'argent, les responsabilités, etc.), mais en réalité c'est à cause de son impression de manquer d'amour que la dispute commence. Donc, dites-vous bien qu'un homme qui vous cherche querelle à propos de l'argent, du temps, des enfants, et ainsi de suite, est probablement aussi mû par l'une des raisons suivantes.

POURQUOI LES HOMMES SE DISPUTENT AVEC LES FEMMES

La raison profonde pour laquelle il se dispute...	**Ce dont il a besoin pour ne pas se disputer...**
1 – « Je déteste qu'elle s'énerve pour la plus petite chose que je fais ou ne fais pas. Je me sens critiqué et rejeté. »	1 – Qu'elle l'accepte tel qu'il est. Et il lui semble plutôt qu'elle essaie de le changer.
2 – « Je déteste qu'elle me dise comment faire les choses. Je sens qu'elle ne m'admire pas. Elle me traite comme un enfant. »	2 - D'être admiré, mais il se sent déprécié.

3 – « Je déteste qu'elle me reproche ses problèmes personnels. Cela ne m'encourage pas à devenir son prince charmant. »	3 – D'encouragements, mais à ce moment précis, il a plutôt envie de jeter l'éponge.
4 – « Je déteste quand elle se plaint d'avoir tant fait pour moi et d'en être si peu remerciée. Ça me donne l'impression qu'elle n'apprécie pas ce que je fais pour elle. »	4 – De se sentir apprécié, mais il se sent plutôt blâmé, méprisé et nul.
5 – « Je déteste qu'elle croie que je peux lire dans ses pensées alors que j'en suis totalement incapable. Cela me fait me sentir impuissant et j'ai l'impression de ne pas être le bon partenaire pour elle. »	5 – De son approbation et d'être accepté tel qu'il est, alors qu'elle lui fait ressentir qu'il a échoué.

Si ses besoins émotionnels primaires sont comblés, l'homme tendra moins à user d'arguments blessants. Il deviendra alors capable d'écouter et de parler avec beaucoup plus de respect, de compréhension et de tendresse. Différends personnels, arguments contradictoires et sentiments négatifs trouveront tous leur solution par la conversation, la négociation et le compromis, sans qu'on doive en arriver aux propos acerbes ou cruels.

Les femmes aussi formulent parfois des arguments blessants, mais pour des raisons autres. En apparence, elles paraissent discuter de finances, de responsabilités et ainsi de suite, mais au fond d'elles-mêmes elles s'opposent à leur partenaire pour l'une des raisons suivantes.

POURQUOI LES FEMMES SE DISPUTENT AVEC LES HOMMES

La raison profonde pour laquelle elle se dispute...	**Ce qu'il faudrait pour qu'elle ne se dispute pas...**
1 – « Je déteste qu'il minimise mes sentiments ou mes besoins. Je me sens rejetée et insignifiante. »	1 – Qu'elle se sente épaulée et appréciée, alors qu'elle se sent jugée et ignorée.
2 – « Je déteste qu'il oublie de faire ce que je lui ai demandé et devoir le harceler pour qu'il s'exécute. J'ai l'impression de quémander. »	2 – Qu'il la respecte et s'occupe d'elle, alors qu'elle pense qu'il la néglige et la relègue en queue de liste de ses priorités.
3 – « Je n'aime pas qu'il élève la voix ou se mette à énumérer toutes les raisons qui justifient son opinion. Cela fait que je me sens fautive et que j'ai l'impression que mon opinion n'a aucune valeur à ses yeux. »	3 – Qu'elle se sente comprise et respectée, mais elle a l'impression qu'il ne l'écoute pas, qu'il la bouscule et qu'il l'écrase.
4 – « Je n'aime pas qu'il ne réponde pas à mes questions ni à mes commentaires, ou fasse comme si je n'existais pas. »	4 – Qu'elle sente qu'il l'écoute et qu'il n'est pas indifférent à elle, alors qu'elle se sent ignorée et jugée.

Bien que tous ces sentiments pénibles et ces besoins soient légitimes, ils ne sont généralement pas traités ou transmis directement mais refoulés, avant d'exploser lors d'une dispute. Les rares fois où ils sont exprimés, c'est généralement par le biais de certaines expressions ou du ton de la voix.

Les hommes comme les femmes doivent comprendre

et agir selon leur propre sensibilité, et surtout ne pas la nier. On peut parvenir à exposer le véritable problème en essayant de communiquer par des moyens qui répondent aux besoins émotionnels de son partenaire. Les arguments exprimés de part et d'autre se muent alors en expressions de soutien nécessaires à la négociation et à la résolution des désaccords et des différends entre partenaires.

Les disputes dégénèrent en général parce que l'homme dénigre les sentiments de la femme, et qu'elle réagit en exprimant de la désapprobation.

Pour éviter ces confrontations douloureuses, il est important de savoir comment les hommes dévalorisent inconsciemment les sentiments de la femme, et comment les femmes transmettent inconsciemment leur désapprobation à l'homme.

Comment les hommes initient des disputes sans le savoir

Le plus souvent, les hommes commencent une dispute en dévalorisant un sentiment ou un point de vue de leur femme... sans réaliser à quel point ils peuvent se montrer blessants.

Par exemple, un homme peut mettre le feu aux poudres en disant : « Ah ! Ne t'inquiète pas pour ça. » Ce qui pour un autre homme serait une phrase amicale est plutôt offensant et blessant pour une femme.

Autre exemple : un homme tente de calmer sa femme en disant : « Ce n'est pas si grave que ça ! » Puis il lui offre des solutions en pensant la rendre heureuse et reconnaissante. Il ne comprend pas que, devant cette attitude, elle se sent dévalorisée et délaissée. Elle est incapable d'apprécier ses conseils tant qu'il ne lui a pas signifié qu'il reconnaît la légitimité de son désarroi.

Le cas le plus courant est celui d'un homme qui, ayant fait une chose qui a agacé sa partenaire, tente d'instinct de l'apaiser en lui disant qu'il n'y a pas de quoi être contrariée, et pourquoi. Pleinement confiant, il tente de lui démontrer qu'il avait une très bonne raison, parfaitement logique et rationnelle, d'agir comme il l'a fait. Il ne pense absolument pas qu'agir ainsi revient aux yeux de sa femme à lui dire qu'elle n'a pas le droit de s'offusquer. Il explique, développe ses arguments... Et tout ce qu'elle perçoit, c'est son indifférence à l'égard de ses sentiments à elle.

Pour qu'elle accueille la démonstration de son mari, il faut d'abord qu'il la laisse lui donner les raisons pour lesquelles elle est contrariée. Il doit donc trouver la force de ravaler ses explications pour prêter l'oreille à celles de sa partenaire. Tant qu'il ne se préoccupe pas de ses sentiments, elle ne se sentira pas soutenue moralement.

Mettre en œuvre ces nouveaux rapports de couple requiert un certain entraînement, mais c'est tout à fait réalisable. Habituellement, quand une femme exprime des sentiments de frustration, de déception ou d'inquiétude, l'homme lui donne instinctivement une série d'explications et de justifications servant à nier toute raison de s'offenser. Jamais il ne voudrait envenimer les choses. Cette tendance à contredire les sentiments féminins n'est qu'une manifestation de son instinct de Martien.

Cependant, en parvenant à comprendre que cette réaction automatique ne peut être que néfaste, l'homme pourra arriver à changer son comportement pour mieux l'adapter au système de valeurs et à la sensibilité de sa femme.

Comment les femmes initient des disputes sans le savoir

Les femmes, elles, initient des disputes en n'exprimant pas directement leurs sentiments : par exemple, au lieu de formuler franchement leur désaccord ou leur déception, elles posent des questions de principe à travers lesquelles, sans le savoir (ou parfois même en le sachant), elles communiquent à l'homme un message de désapprobation. Et même si ce n'est pas ce qu'elles cherchaient à lui dire, il le perçoit en général comme cela.

Les femmes provoquent le plus souvent des disputes parce qu'elles n'expriment pas directement leurs sentiments.

Par exemple, quand son mari rentre en retard, la femme aurait envie de lui dire : « Je n'aime pas devoir t'attendre si longtemps » ou « J'avais peur qu'il te soit arrivé quelque chose. » Mais au lieu de l'exprimer directement, elle va plutôt lui poser des questions de principe comme : « Comment peux-tu rentrer si tard ? » ou « Qu'est-ce que je dois penser quand tu tardes ainsi ? », ou encore « Pourquoi ne m'as-tu pas appelée ? »

Bien sûr, il est acceptable de demander à un homme pourquoi il n'a pas appelé quand on a de bonnes raisons de le faire. Mais lorsqu'une femme est irritée, le ton de sa voix tend à indiquer qu'elle cherche moins à entendre une raison valable qu'à insinuer qu'il ne peut y avoir de raison acceptable à ce retard. Si bien que son interlocuteur ne percevra pas son inquiétude mais seulement sa désapprobation. Il détecte chez elle un désir envahissant de l'aider à se responsabiliser, il se sent alors attaqué et prépare sa défense. Sa femme n'a aucune idée du malaise que provoque en lui sa désapprobation.

Tout comme la femme a besoin que ses sentiments soient reconnus légitimes, l'homme a besoin d'être approuvé. Plus un homme aime une femme et plus il a besoin de son approbation. C'est un élément forcément présent au début de toute relation. Soit elle lui fait sentir qu'elle l'approuve, soit il a confiance en sa propre capacité à mériter l'approbation de sa partenaire. Mais dans les deux cas l'élément « approbation » est présent.

Au début d'une relation, l'homme est bien évidemment dans les bonnes grâces de sa nouvelle partenaire. Il est encore son prince charmant. Tout ce qu'il fait reçoit l'approbation de sa belle, ce qui le transporte d'enthousiasme. Mais, inévitablement, il commence à la décevoir... et perd peu à peu son approbation. Puis, un jour, il se retrouve en disgrâce.

Si un homme est capable de comprendre la déception de sa femme, il reste démuni devant sa désapprobation. Se voir ainsi rejeté l'atteint au plus profond de lui-même. Et il est courant qu'une femme use d'un ton réprobateur en questionnant un homme sur son comportement. Elle agit ainsi pour lui faire la leçon, mais ça ne marche pas. Cela ne fait que susciter en lui crainte et amertume, et il perd peu à peu son enthousiasme des débuts.

Donner son approbation à un homme, c'est savoir déceler les bonnes raisons masquées derrière chacune de ses actions. Une femme qui aime vraiment un homme trouvera toujours en lui quelque chose à apprécier, même quand il se montre irresponsable, paresseux ou irrespectueux. Elle saura deviner les intentions aimantes et la bonté masquée sous le comportement peu engageant de son partenaire.

Mais en traitant son mari comme s'il n'avait aucune bonne raison de faire ce qu'il fait, une femme le prive de cette indispensable approbation. Elle doit absolument apprendre à la lui conserver même quand elle est en désaccord avec lui.

Voici une combinaison qui est à l'origine de bien des disputes :

1. L'homme sent que la femme désapprouve son point de vue.
2. La femme désapprouve la manière dont l'homme lui parle.

Quand l'homme a le plus besoin de l'appréciation de la femme

La plupart des disputes ne découlent pas uniquement d'un désaccord entre les deux partenaires, mais de l'une des deux raisons suivantes : ou bien l'homme sent que sa femme désapprouve son point de vue, ou bien la femme désapprouve la manière dont il lui parle. Parfois, aussi, elle lui reproche de ne pas reconnaître la validité de son point de vue, ou de ne pas s'être montré suffisamment attentif à ses préoccupations pendant qu'il lui parlait.

Mais une fois que les hommes et les femmes ont appris à approuver et à reconnaître la valeur des sentiments de l'autre, ils n'éprouvent plus tant le besoin de se disputer car ils sont capables de discuter de leurs différends dans le calme.

Un homme qui a commis une erreur est hypersensible. C'est dans ces circonstances que l'amour de sa partenaire lui est le plus indispensable. Si elle lui retire son approbation à ce moment, il en souffrira terriblement. Évidemment sa compagne, qui l'ignore, se méprend sur les motifs de son abattement. Elle le met sur le compte de la bévue commise alors qu'il pâtit avant tout de sa désapprobation.

En effet, c'est lorsqu'il a fait une erreur, ou qu'il a bouleversé la femme qu'il aime, que l'homme est le plus porté à s'expliquer. S'il l'a déçue, il tient à lui expliquer pourquoi elle ne devrait pas s'en offenser. Il pense que son raisonnement va l'aider à se sentir mieux. Il oublie, une fois de plus, que lorsqu'elle est bouleversée elle a surtout besoin qu'on l'écoute et qu'on reconnaisse la valeur de ses sentiments.

ÉVITER LES DISPUTES GRÂCE À UNE MEILLEURE COMMUNICATION

On peut éviter les disputes et les querelles en comprenant mieux les besoins de son partenaire et en ayant à cœur de les satisfaire. L'exemple suivant démontre comment, quand la femme exprime ses sentiments de façon directe et quand l'homme sait lui signifier qu'il reconnaît la valeur de ses sentiments, le conflit peut être évité.

Ce jour-là, ma femme et moi partions en vacances. En quittant la maison, après une semaine harassante, je songeai que Bonnie devait se réjouir de prendre enfin ce congé que nous appelions de nos vœux depuis si longtemps. C'est alors qu'elle poussa un grand soupir et déclara : « J'ai l'impression que ma vie est une lente et interminable torture. »

Estomaqué, je pris une grande inspiration et lui dis : « Je comprends ce que tu veux dire. Moi aussi, j'ai l'impression que la vie n'en finit plus de me tordre comme un vieux torchon. » Et je fis le geste d'essorer un torchon.

Bonnie opina du chef et, à ma stupéfaction, me fit

un grand sourire et changea de sujet de conversation, m'expliquant combien elle était heureuse de partir en voyage.

Six ans auparavant, une telle scène eût été inconcevable. Nous nous serions disputés et je lui aurais reproché, à tort, de m'avoir gâché ma journée. Je me serais irrité de l'entendre dire que sa vie était une lente et interminable torture. Je m'en serais offensé et j'aurais pensé qu'elle m'en tenait pour responsable. À la suite de quoi j'aurais adopté une attitude défensive pour lui expliquer que notre vie n'était pas une torture, et qu'elle aurait dû être bien contente de partir pour de merveilleuses vacances. Tout cela parce que, à cette époque, je ne comprenais ni ne reconnaissais la légitimité du mode de pensée vénusien.

Cette fois-là, cependant, j'ai compris qu'elle ne faisait qu'exprimer un sentiment passager. Et comme je percevais son cheminement intellectuel, je n'ai pas eu besoin d'adopter une attitude défensive. Grâce à mon commentaire sur le torchon, elle a constaté que je comprenais le fond de sa pensée et que je reconnaissais pleinement sa valeur. Et en retour, elle m'a donné la reconnaissance dont j'avais besoin, et m'a fait sentir son amour, son acceptation et son approbation. Parce que j'avais appris comment la rassurer sur la légitimité de ses sentiments, elle a été en mesure de recevoir l'amour dont elle avait besoin. Et nous ne nous sommes pas disputés.

CHAPITRE 11

Comment exprimer des sentiments négatifs

Il est difficile de s'exprimer avec amour quand on est troublé, déçu, frustré ou fâché. Lorsque des émotions négatives nous envahissent, nous perdons momentanément nos sentiments tendres – comme la confiance, l'attachement, la compréhension, l'acceptation, l'appréciation et le respect – et dans ces moments-là, malgré les meilleures intentions du monde, le dialogue tourne à la bataille. Dans le feu de l'action, nous oublions alors comment communiquer d'une manière positive et efficace, pour l'autre comme pour nous-mêmes.

Dans ce genre de circonstances, les femmes ont inconsciemment tendance à blâmer l'homme et à le tenir pour responsable de leurs déboires. Au lieu de se rappeler que son partenaire fait de son mieux, la femme présume le pire et attise la critique et le ressentiment. Quand elle sent remonter ses sentiments négatifs, elle peut difficilement parler sur un ton de confiance, d'acceptation et d'appréciation. Et elle ne réalise pas à quel point son attitude paraît négative et offensante pour son compagnon.

Lorsque les hommes sont bouleversés, ils sont portés à juger les femmes et les sentiments féminins.

Au lieu de se rappeler que sa partenaire est sensible et vulnérable, l'homme oublie les besoins qu'elle a et se fait menaçant. Lorsque les sentiments négatifs l'envahissent, il lui est particulièrement difficile d'avoir un langage attentif, compréhensif et respectueux. Et il n'a pas conscience de l'effet que son attitude blessante peut avoir sur sa compagne.

C'est une situation où tout dialogue est vain mais, heureusement, il y a une alternative. Au lieu de s'obstiner à se lancer au visage des sentiments blessants ou douloureux, on peut écrire une lettre à son partenaire et, ainsi, laisser ses émotions s'écouler sans crainte de blesser l'autre. En écoutant et en exprimant ses propres sentiments, on redevient immédiatement raisonnable et plus aimant.

En écrivant une lettre à sa femme, l'homme se montre plus attentif, plus compréhensif et plus respectueux envers elle. Et quand la femme écrit une lettre à l'homme qu'elle aime, elle ravive ses sentiments de confiance et d'estime. La transposition par écrit de ses sentiments négatifs est un excellent moyen de prendre conscience de l'image non aimante que l'on projette. En constatant cela, on apprend comment réajuster son approche. De plus, le seul fait de mettre par écrit ses émotions négatives contribue à en atténuer l'intensité, en libérant de l'espace pour des émotions positives. Une fois qu'on a ainsi exorcisé ses sentiments négatifs, on peut à nouveau s'approcher de son partenaire et lui parler sur un ton beaucoup plus amoureux, sans le juger ni le blâmer. Et là, les chances d'être compris et accepté tel que l'on est sont bien meilleures.

Après avoir écrit une telle lettre, vous pourrez ne plus ressentir le besoin de parler. Dans ce cas, faites quelque chose de gentil pour votre partenaire. De toute façon, que vous rédigiez une lettre pour faire part de vos sentiments ou simplement pour vous soulager, le seul fait de mettre vos émotions par écrit est un exercice fort utile.

Que vous rédigiez une lettre pour faire part de vos sentiments ou simplement pour vous soulager, le seul fait de mettre vos émotions par écrit est un exercice fort utile.

Mais, au lieu de coucher vos sentiments sur le papier, vous préféreriez peut-être effectuer le même processus mentalement. Vous n'avez qu'à vous taire et à passer en revue les événements dans votre tête. Imaginez que vous vous dites ce que vous ressentez, ce que vous pensez et ce que vous désirez, sans aucune retenue. En laissant cette forme de dialogue interne exprimer toute la vérité de vos sentiments, vous vous sentirez soudainement libéré de leur emprise négative. Peu importe que vous les exprimiez verbalement ou mentalement, par l'exploration et l'expression de vos sentiments négatifs vous leur enlevez tout pouvoir, et vous permettez à des émotions positives d'émerger. La technique de la lettre de sentiments décrite ci-après peut énormément accroître l'efficacité de l'opération. Bien que ce soit une technique d'écriture, elle peut très bien s'appliquer aussi au processus mental.

LA TECHNIQUE DE LA LETTRE DE SENTIMENTS

Cette technique de la lettre de sentiments est l'un des meilleurs moyens de brider sa négativité et de communiquer avec amour. En couchant vos sentiments sur le papier d'une manière particulière, vous verrez vos émotions négatives automatiquement atténuées et vos sentiments positifs accrus. La technique de la lettre de sentiments améliore le processus d'écriture classique et comprend trois étapes ou aspects :

Première étape : écrivez une lettre de sentiments pour exprimer vos sentiments de colère, de tristesse, d'inquiétude, de regret et d'amour.

Deuxième étape : rédigez une lettre-réponse exprimant ce que vous aimeriez que votre partenaire vous dise.

Troisième étape : lisez vos deux missives à votre partenaire.

La technique de la lettre de sentiments est très souple. Vous pouvez suivre les trois étapes ou seulement une ou deux. Exemple : deux étapes (les deux premières), pour vous aider à mettre de l'ordre dans vos sentiments et à redevenir aimant, puis à reprendre le dialogue avec votre partenaire sans être aveuglé par le ressentiment ni le blâme. À d'autres moments, vous vous arrêterez à chaque étape et discuterez du contenu de vos deux lettres avec votre partenaire.

PREMIÈRE ÉTAPE :
ÉCRIRE UNE LETTRE DE SENTIMENTS

Trouvez d'abord un endroit calme, isolé, où vous pourrez écrire en toute tranquillité. Votre lettre devra exprimer vos sentiments de colère, de tristesse, d'inquiétude, de regret, puis enfin d'amour. Cette formule permet un examen complet de tous vos sentiments et, en vous les faisant mieux comprendre, elle vous aide à les communiquer à votre partenaire de manière cohérente et aimante.

Quand on est troublé, beaucoup d'émotions nous envahissent en même temps. Par exemple, lorsque votre partenaire vous déçoit, vous pouvez ressentir de la colère à cause de son hypersensibilité, être fâché parce qu'il ne vous apprécie pas assez, triste de le voir tellement accaparé par son travail, déçu qu'il ne vous fasse pas confiance, craindre qu'il ne vous pardonne jamais, être inquiet qu'il ne se préoccupe pas suffisamment de vous, peiné du reflux inavoué de votre amour pour lui... Mais, en même temps, vous appréciez que ce soit lui qui partage votre vie, et vous désirez toujours recevoir son amour et son attention.

Pour être capable de ressentir nos sentiments amoureux, il est parfois nécessaire d'explorer d'abord tous nos sentiments négatifs. Après avoir exprimé ces quatre niveaux de sentiments négatifs – la colère ; la tristesse ou la peine ; l'inquiétude ou la crainte ; et le regret –, il nous devient possible de ressentir pleinement et d'exprimer nos sentiments positifs sur l'amour. L'écriture de lettres de sentiments atténue donc automatiquement l'intensité de nos sentiments négatifs, et nous permet de mieux ressentir nos émotions positives.

Voici donc quelques conseils pour l'écriture d'une lettre de sentiments.

1 – Adressez-la à votre partenaire, et exprimez-vous comme s'il vous écoutait avec amour et compréhension.
2 – Commencez par évoquer votre colère, puis exposez votre peine ou votre tristesse. Parlez ensuite de vos craintes ou inquiétudes, puis de vos regrets. Laissez les mots d'amour pour la

fin. Veillez à toujours respecter ces cinq étapes.

3 – Employez des mots simples et efforcez-vous d'accorder une place égale à chacun des cinq types de sentiments énumérés ci-dessus.
4 – Une fois que vous avez fini de rédiger une section, arrêtez-vous un instant pour réfléchir au sujet de la prochaine avant d'en entamer la rédaction.
5 – Ne terminez pas votre lettre sans avoir parlé d'amour. Soyez patient, laissez vos sentiments remonter à la surface, puis exprimez-les en termes simples.
6 – Apposez votre signature à la fin de la lettre. Prenez un instant pour réfléchir à vos besoins et à vos désirs, puis faites-en l'objet d'un post-scriptum.

Si cela peut vous aider et simplifier l'écriture de vos lettres de sentiments, utilisez le guide pratique qui suit ce paragraphe. Il propose des amorces de phrases pour les cinq sections afin de faciliter l'expression de vos sentiments. Vous pouvez en utiliser quelques-unes, ou les utiliser toutes si vous le voulez. En général, les approches qui permettent de se défouler le plus efficacement sont : « Je suis fâché... », « J'ai de la peine... », « Je suis inquiet... », « Je crains ou j'ai peur que... », « Je regrette... », « J'aimerais que... » et « J'aime... ». Cependant, toute expression qui vous permet de parler plus facilement de ce que vous avez envie de dire peut les remplacer. Il faut en général une vingtaine de minutes pour écrire une lettre de sentiments.

Guide pratique de la lettre de sentiments

(lieu et date)

Cher [*ou Chère*]...

Première partie : les motifs de colère
Je n'aime pas que...
Je suis fâché parce que...
Je suis frustré parce que...
Il y a quelque chose qui me dérange...
J'aimerais que...

Deuxième partie : les motifs de tristesse ou de peine
Je suis déçu parce que...
Je suis triste que...
J'ai de la peine parce que...
J'aurais aimé que...
J'aimerais que...

Troisième partie : les motifs d'inquiétude ou d'angoisse
Je m'inquiète...
Je crains que...
J'ai peur que...
Je ne voudrais pas que...
J'ai besoin...
Je veux...

Quatrième partie : les motifs de regret
Je regrette...
Je suis embarrassé...
Cela me gêne que...
J'ai honte de...
Je ne voulais pas...
Je veux...

Cinquième partie : les mots d'amour
J'aime...
Je désire...

Je comprends...
Je pardonne...
J'apprécie...
Je te remercie...
Je sais que...
P.-S. : J'aimerais que tu me dises...

Et voici maintenant quelques situations typiques et des exemples de lettres de sentiments qui vous aideront à mieux en saisir la technique.

Lettre de sentiments à propos d'un oubli

Samantha était furieuse contre son mari, Tom, parce que celui-ci était allé faire la sieste et avait oublié d'accompagner leur fille Hayley à son rendez-vous chez le dentiste. Mais, au lieu de blâmer Tom, Samantha lui écrivit. Après l'avoir fait, elle revint auprès de Tom en meilleure possession de ses moyens, et conciliante à son égard.

Parce qu'elle lui avait écrit cette lettre, Samantha ne ressentait plus l'envie de sermonner ou de rejeter son mari. Et, au lieu d'entamer une explication qui aurait mené à la dispute, elle engagea un dialogue qui leur permit de passer ensuite une agréable soirée ensemble. La semaine suivante, Hayley n'a pas raté son rendez-vous chez le dentiste.

Voici la lettre de Samantha :

Cher Tom,

1 – La colère. Je suis furieuse que tu aies oublié ce rendez-vous. Je suis fâchée que tu aies dormi trop longtemps. Je n'aime pas quand tu fais la sieste et que tu oublies tout le reste. J'en ai assez de tout devoir prendre en charge. Tu comptes sur moi pour tout faire. Je suis fatiguée de cette situation.

2 – **La tristesse et la peine.** Je suis triste parce que Hayley a manqué son rendez-vous. J'ai de la peine que tu aies oublié. Je suis triste parce que j'ai l'impression de ne pas pouvoir compter sur toi. J'ai de la peine de te voir travailler si fort, et de te voir si fatigué. Et je suis peinée que tu n'aies plus assez de temps à me consacrer. Je suis blessée que tu ne sembles plus jamais ravi par ma présence. Tu m'affliges en oubliant des choses, et j'ai l'impression que tu te fiches de tout.

3 – **La peur et l'angoisse.** Je crains de devoir tout faire toute seule. J'ai peur de te faire confiance. J'ai peur que tu t'en moques. Je crains d'être obligée de m'en occuper moi-même la prochaine fois. Je suis inquiète parce que je ne peux pas tout faire toute seule et que j'ai besoin de ton aide, mais j'ai peur de compter sur toi. Je suis inquiète parce que tu travailles trop, et j'ai peur que tu tombes malade.

4 – **Le regret.** Je suis gênée quand tu rates un rendez-vous. Je suis mal à l'aise quand tu es en retard. Je n'aime pas être aussi exigeante, et je regrette mon manque de tolérance. J'ai honte de n'être pas plus aimante. Je ne voudrais pas que tu penses que je te rejette.

5 – **L'amour.** Je t'aime. Je comprends que tu étais fatigué. Tu travailles si dur ! Je sais que tu fais de ton mieux et je te pardonne d'avoir oublié. Merci d'avoir pris un autre rendez-vous. Merci d'accepter d'accompagner Hayley chez le dentiste. Je sais que nous comptons beaucoup pour toi. Je sais que tu m'aimes. J'ai de la chance de partager ma vie avec toi, et j'aimerais que nous passions une bonne soirée ensemble.

Je t'aime.

Samantha

P.-S. : J'aimerais que tu me dises que tu te chargeras d'accompagner Hayley chez le dentiste la semaine prochaine.

DEUXIÈME ÉTAPE : LA LETTRE-RÉPONSE

La lettre-réponse est en effet la deuxième étape dans la technique de la lettre de sentiments. Une fois que vous avez exprimé vos sentiments négatifs et positifs, les cinq à dix minutes que vous pouvez consacrer à la rédaction d'une lettre-réponse peuvent vous être très bénéfiques. Il s'agit d'écrire le genre de réponse que vous aimeriez recevoir de votre partenaire.

Voici comment procéder. Imaginez que votre partenaire est en état de répondre avec amour à vos sentiments blessés, ceux que vous avez exprimés dans votre lettre de sentiments. Écrivez-vous une courte lettre semblable à celle que vous aimeriez recevoir de sa part. Inscrivez-y tout ce que vous voudriez lui entendre dire à propos des problèmes que vous lui avez exposés. Voici d'ailleurs quelques amorces pour vous aider à débuter :

Merci pour...
Je comprends que...
Je m'excuse de...
Je sais que tu mérites bien...
Je voudrais...
J'aime...

Parfois, une lettre-réponse a beaucoup plus d'impact qu'une lettre de sentiments. En exprimant par écrit ce dont on a besoin et ce qu'on désire, on augmente sa disponibilité à recevoir le soutien qu'on mérite. De plus, en visualisant notre partenaire en train de nous répondre avec amour, nous nous mettons dans un état d'esprit qui ne peut que lui faciliter la tâche le moment venu.

Certaines personnes peuvent aisément noter sur papier les sentiments négatifs qui les troublent, mais elles ont beaucoup plus de difficultés à décrire leurs sentiments amoureux. Il est encore plus important pour ce type de personnes d'écrire des lettres-réponses et d'explorer ce qu'elles voudraient s'entendre dire par leur partenaire. Si c'est votre cas, assurez-vous en rédigeant la lettre de tenir compte de votre résistance occasionnelle à son soutien, pour mieux comprendre combien il doit être difficile pour votre partenaire de vous traiter avec amour à certains moments.

Comment découvrir les besoins de son partenaire

Il arrive que les femmes ne veuillent pas écrire de lettre-réponse. Elles pensent que leur partenaire saura quoi dire. Un sentiment caché leur fait penser en elles-mêmes : « Je ne veux pas lui souffler ce que je veux qu'il dise, s'il m'aime réellement il devrait le savoir. » Ces femmes devraient se rappeler que les hommes sont des Martiens qui ne savent pas d'instinct ce dont les femmes ont besoin : il faut le leur indiquer. La réponse masculine reflète plus l'influence de sa planète que l'amour qu'il a pour sa compagne. S'il était d'origine vénusienne, il saurait quoi dire, mais il ne l'est pas. Les hommes ne savent donc pas comment réagir aux émotions de la femme. En général, notre culture n'enseigne pas aux hommes les besoins des femmes.

Un homme qui a vu et entendu son père réagir par des paroles tendres aux angoisses de sa mère aura une meilleure idée de ce qu'il doit faire. Mais, dans la plupart des cas, l'homme ne sait pas comment réagir parce qu'on ne le lui a jamais appris.

La lettre-réponse est l'un des meilleurs moyens d'enseigner à l'homme les besoins de la femme. Et, lentement mais sûrement, il va les comprendre.

Lettre de sentiments et lettre-réponse à propos de la résistance aux demandes de son partenaire

Theresa ayant sollicité le soutien de son mari, celui-ci, Paul, le lui a refusé et a paru écrasé par sa demande. Aussitôt, Theresa a pris la plume.

Cher Paul,

1 – **La colère.** Le fait que tu me résistes m'énerve. Je t'en veux de ne pas m'offrir ton aide. Ça me choque de toujours devoir demander. Je fais tellement pour toi, et j'ai besoin de ton aide.

2 – **La tristesse.** Je suis triste parce que tu ne veux pas m'aider, et parce que je me sens terriblement seule. Je voudrais qu'on fasse beaucoup plus de choses ensemble. Ton soutien me manque.

3 – **L'inquiétude.** J'ai peur de te demander ton aide. Je crains ta colère. Je m'inquiète parce que je sais que si tu disais non, je serais blessée.

4 – **Le regret.** Je regrette toute l'amertume que j'ai à ton égard. Je suis désolée de te harceler et de te critiquer. Je regrette de ne pas plus t'apprécier. Je déplore de trop te donner puis de te demander d'en faire autant.

5 – L'amour. Je t'aime. Je comprends que tu fais de ton mieux et je sais que tu tiens à moi. J'aimerais pouvoir réclamer ton soutien de manière plus amoureuse. Tu es un père tellement aimant pour nos enfants.

Je t'aime.

Theresa

P.-S. : Voici la réponse que j'aimerais recevoir de toi :

Chère Theresa,

Merci de m'aimer autant. Merci de partager tes sentiments avec moi. Je comprends que tu sois offensée quand je te donne l'impression que tes demandes sont exagérées. Je sais que tu es aussi blessée quand je résiste à tes idées. Je m'excuse de ne pas t'offrir mon aide plus souvent et je sais que tu la mérites. Je t'aime vraiment, et je suis très heureux que tu sois ma femme.

Je t'aime.

Paul

TROISIÈME ÉTAPE : LIRE ENSEMBLE LES DEUX MISSIVES

Il est important de partager vos lettres parce que :

– Cela donne à votre partenaire l'occasion de vous soutenir.

– Cela vous permet de bénéficier de la compréhension dont vous avez besoin.

– Cela permet à votre partenaire de découvrir votre point de vue sans se sentir agressé.

– Cela aide une relation de couple à évoluer dans la bonne direction.

– Cela favorise la tendresse et la passion.

– Cela indique à votre partenaire ce qui est important pour vous, et lui apprend comment il peut vous apporter le soutien dont vous avez besoin.

– Cela aide les couples à renouer un dialogue constructif.

– Cela nous apprend à entendre exprimer des sentiments négatifs sans nous sentir menacés.

Que faire si votre partenaire ne sait pas répondre avec amour

À cause de leurs expériences passées, certains hommes et certaines femmes trouvent extrêmement difficile de prendre connaissance des lettres de leur partenaire. Dans ce cas, on ne devrait pas les forcer à les lire. Même quand votre partenaire accepte d'écouter la lecture d'une de vos lettres, il peut ne pas être en mesure d'y répondre sur-le-champ avec amour. Reprenons l'exemple de Paul et de Theresa.

Si Paul ne montre pas de sentiments amoureux après avoir entendu Theresa lire sa lettre, c'est qu'il est incapable de répondre amoureusement à ce moment-là. Mais il est possible qu'après un certain temps son attitude et ses sentiments changent.

Si, en lisant ou en écoutant les lettres, il a ressenti la colère et la souffrance qu'elles contiennent comme une attaque personnelle, il adopte une attitude défensive. Dans ce cas, il a besoin d'un peu de temps pour réfléchir à ce qui lui a été exposé.

Parfois, quand une personne prend connaissance d'une lettre de sentiments de son partenaire, elle peut saisir les récriminations et la colère, mais avoir besoin de plus de temps pour arriver à saisir l'amour qu'elle contient. Relire la lettre après quelque temps, et spécialement les sections touchant le regret et l'amour, peut l'aider énormément. Parfois, avec les éléments que je possède, en prenant une lettre de sentiments de ma femme, je vais lire la section amour en premier, puis je lirai le reste.

Si un homme est bouleversé par une lettre de sentiments de sa femme, il peut réagir en écrivant sa propre lettre de sentiments, ce qui va lui permettre de traiter les sentiments négatifs qui ont surgi en lui en lisant la lettre de sa compagne. Souvent, quelque chose me trouble mais je ne sais pas quoi, jusqu'à ce que ma femme m'écrive une lettre de sentiments. Alors, tout à coup, je sais ce que j'ai besoin d'écrire. En écrivant ma lettre je retrouve mes sentiments amoureux, puis je relis la sienne et redécouvre l'amour derrière sa souffrance.

Lorsqu'un homme est incapable de répondre immédiatement à une lettre de sentiments, il doit savoir que ce n'est pas un acte répréhensible, et qu'il ne sera pas puni à cause de cela. Sa partenaire doit comprendre et accepter son besoin d'y repenser pendant quelque temps. Peut-être pourrait-il, pour montrer à sa femme qu'il la soutient, dire quelque chose comme : « Merci de m'avoir écrit cette lettre. J'ai besoin d'un peu de temps pour y penser et nous en reparlerons ensuite, si tu veux bien. » Il importe surtout qu'il n'émette aucune critique au sujet de la lettre. Le partage des lettres intimes doit être un processus libre de toute menace.

Toutes ces suggestions sur le partage des lettres de sentiments s'appliquent aussi lorsque c'est la femme qui a du mal à réagir amoureusement à une lettre de son conjoint. Je recommande généralement aux couples de lire les lettres qu'ils ont écrites à voix haute. En vous entendant lire sa lettre à voix haute, votre partenaire aura davantage l'impression que ses récriminations sont entendues.

ÉCHANGER DES LETTRES DE SENTIMENTS SANS DANGER

Ce peut être une expérience terrifiante que d'échanger des lettres de sentiments. La personne qui y a inscrit ses sentiments les plus personnels et les plus angoissants peut se sentir très vulnérable. Après tout, ce serait tellement douloureux si le partenaire les rejetait ! La raison d'être de ces lettres est justement d'exposer ses sentiments l'un à l'autre pour favoriser le rapprochement. Cela peut très bien fonctionner tant que ça se fait à l'abri de toute menace. Le destinataire doit se montrer particulièrement respectueux des sentiments exprimés par celui qui a écrit la lettre. S'il se sent incapable d'offrir un soutien respectueux en retour, alors il devra refuser de le faire jusqu'à ce qu'il ait acquis cette générosité du cœur.

On doit partager ses lettres de sentiments avec une intention bienveillante uniquement. Lire ensemble une lettre intime doit impérativement se faire dans l'esprit de l'une ou l'autre des deux déclarations d'intention qui suivent.

Déclaration d'intention pour l'écriture et le partage d'une lettre de sentiments

« J'ai écrit cette lettre pour m'aider à retrouver mes sentiments positifs et pour t'offrir l'amour que tu mérites. Dans le courant de ce processus, je dois aussi te faire part des sentiments négatifs qui me bloquent.

» J'apprécie ta volonté de m'écouter et de me soutenir. De plus, j'espère que cette lettre t'aidera à comprendre mes demandes, mes besoins et mes désirs. »

QUAND ÉCRIRE UNE LETTRE DE SENTIMENTS

Lorsque vous êtes bouleversé, cela vous aidera à vous sentir mieux. C'est pourquoi on peut fort bien en adresser une à une personne avec qui l'on n'entretient pas de relation amoureuse :

– un ami, un enfant ou un membre de sa famille ;

– un associé ou un client. Dans ce cas, bien sûr, on remplacera les « je t'aime », par des « je t'apprécie » ou une formule manifestant le respect. Et, sauf exception, on ne la relira pas non plus avec son destinataire ;

– soi-même ;

– Dieu ou un Être supérieur, à qui l'on confiera ses soucis et dont l'on sollicitera l'aide.

On peut aussi rédiger une « lettre de sentiments à l'envers ». S'il est trop difficile de pardonner à l'autre, on peut se mettre à sa place pendant quelques minutes et écrire une lettre qui nous est destinée. Vous serez surpris de la rapidité avec laquelle on devient magnanime dans ce cas.

Une lettre de sentiments est normalement empreinte de tendresse, mais il pourra parfois vous paraître nécessaire d'en imaginer une version « méchante ». Si vous êtes fortement troublé et que vos sentiments vous poussent à la méchanceté et aux jugements sévères, confiez-vous sur papier puis brûlez la lettre. Mais ne la lisez surtout pas à votre partenaire, à moins que vous ne soyez tous les deux capables de faire face à la dureté des sentiments négatifs qui y sont exprimés. Dans un tel cas, même une lettre méchante peut rendre service.

Sachez aussi user de la « lettre de sentiments à retardement ». Quand les événements présents vous bouleversent et vous ramènent à des problèmes irrésolus de votre enfance, faites un retour dans le temps et écrivez une lettre à l'un de vos parents en lui exposant vos sentiments et en sollicitant son aide.

POURQUOI NOUS DEVONS ÉCRIRE DES LETTRES DE SENTIMENTS

Comme nous l'avons souvent dit dans ce livre, il est extrêmement important pour la femme de partager ses sentiments et de sentir qu'on prend soin d'elle, qu'on la comprend et qu'on la respecte. Il est tout aussi important pour l'homme de sentir qu'on l'apprécie, qu'on l'accepte et qu'on a confiance en lui. Le problème majeur survient si l'homme se sent mal aimé lorsque sa femme lui confie les sentiments qui la bouleversent.

Pour lui, de telles émotions négatives correspondent à des critiques, à des reproches, à des exigences et à de l'amertume. Et quand elle lui confie ce genre de sentiments, il a tout de suite l'impression qu'elle ne l'aime pas. La réussite d'une relation de couple dépend essentiellement de deux facteurs : la capacité qu'a l'homme d'écouter avec attention et avec amour, et la capacité qu'a la femme de partager ses sentiments avec respect et avec amour.

Toute relation de couple nécessite une bonne communication entre les partenaires au sujet de leurs sentiments et de leurs besoins changeants. Il serait trop idéaliste de souhaiter une communication parfaite, mais il y a toute une marge de progression entre une situation habituelle ou normale et la perfection.

Des attentes réalistes

Il n'est pas réaliste de s'attendre à une communication toujours facile. Il peut être très difficile d'exprimer certains sentiments sans blesser celui qui les écoute. Même les couples dont les liens amoureux sont excellents ont souvent beaucoup de mal à trouver une formule de communication qui convienne aux deux parties. Il est vraiment difficile de comprendre le point de vue d'une autre personne, particulièrement quand elle ne dit pas ce qu'on aimerait entendre. Il est tout aussi pénible de se montrer respectueux de l'autre quand ses propres sentiments ont été meurtris.

Beaucoup de couples, constatant leur incapacité à communiquer efficacement, en concluent à tort qu'ils ne s'aiment pas assez. Bien sûr, l'amour y est pour quelque chose, mais c'est beaucoup plus la maladresse dans les échanges qui est en cause.

Comment on apprend à communiquer

L'art de la communication efficace nous viendrait tout naturellement si nous avions tous été élevés dans une famille où les relations aimantes et honnêtes étaient à l'honneur. Mais, au cours des générations passées, la communication consistait essentiellement à éviter les situations négatives ou controversées. Avoir des sentiments négatifs, c'était comme avoir une maladie honteuse qu'il fallait cacher et nier.

Dans d'autres familles, ce qu'on considérait comme des relations aimantes supposait sans doute, aussi, l'expression des sentiments négatifs à travers les cris, les punitions physiques, telles la fessée ou la gifle, et maintes formes de violence, toujours dans le but d'aider les enfants à distinguer le bien du mal.

Si nos parents avaient appris à communiquer avec

amour, sans étouffer leurs émotions négatives, nous-mêmes, leurs enfants, nous serions sentis libres d'admettre et d'explorer nos sentiments négatifs par l'expérimentation et la compréhension de nos erreurs. Nous aurions appris à communiquer efficacement nos émotions, et particulièrement les plus délicates d'entre elles, à partir d'exemples réels. Pendant dix-huit ou vingt ans d'expérimentation et d'apprentissage, nous aurions progressivement appris à exprimer nos sentiments avec respect et de façon appropriée. Si tel avait été le cas, nous n'aurions pas besoin d'écrire tant de lettres de sentiments.

Si notre passé avait été autre

Si nous avions eu un passé différent, nous aurions probablement observé notre père en train d'écouter patiemment et amoureusement notre mère exprimant et expliquant ses frustrations et ses déceptions. Nous aurions constaté que, jour après jour, un bon conjoint offre à sa femme l'attention et la compréhension dont elle a besoin.

Nous aurions aussi appris que la femme doit faire confiance à son conjoint et partager ouvertement ses sentiments avec lui (y compris ses frustrations et ses déceptions), sans lui adresser aucun reproche ni aucune marque de désapprobation. Enfin, nous aurions constaté qu'il est possible pour une personne d'être bouleversée sans repousser son partenaire avec manque de confiance, désapprobation ou indifférence.

Au cours de nos dix-huit ans de croissance, nous aurions progressivement appris à dominer nos émotions, comme nous avons appris à maîtriser les mathématiques. Cela aurait été une aptitude acquise comme celles qui nous permettent de marcher, de sauter, de chanter, de lire ou d'utiliser un carnet de chèques.

Mais tel n'a pas été le cas pour la plupart d'entre nous. Nous avons plutôt passé dix-huit ans à apprendre de mauvaises techniques de communication. Et, parce que nous manquons d'éducation en ce domaine, il nous est difficile, sinon impossible, de communiquer avec amour quand nous éprouvons des sentiments négatifs.

Pour arriver à comprendre à quel point cela est difficile, analysez vos propres réponses aux questions suivantes.

– Quand vous éprouvez de la colère ou de la rancœur, comment exprimez-vous votre amour si, au cours de vos années d'éducation, vous avez vu vos parents passer leur temps à s'expliquer, ou à tout faire pour éviter d'avoir à s'expliquer ?

– Comment obtenez-vous que vos enfants vous obéissent, sans devoir crier ni les punir, si vos parents criaient contre vous et vous punissaient pour vous éduquer ?

– Comment demandez-vous l'aide dont vous avez besoin si, étant enfant, vous vous êtes constamment senti négligé ou déçu ?

– Comment réussissez-vous à dire « excuse-moi » si, étant enfant, on vous punissait pour vos erreurs ?

– Comment parvenez-vous à exprimer vos émotions si, dans votre enfance, on vous jugeait et rejetait constamment quand vous étiez troublé ou que vous pleuriez ?

– Comment peut-on penser que vous allez être capable de demander ce dont vous avez besoin si, étant enfant, on vous faisait sentir que vous aviez toujours tort de demander quoi que ce soit ?

– Comment pouvez-vous même savoir ce que vous ressentez si, dans votre enfance, vos parents n'avaient jamais le temps, la patience ni l'idée de s'enquérir de vos sentiments ou de ce qui vous ennuyait ?

– Comment pouvez-vous accepter les imperfections de votre partenaire si, dans votre enfance, vous aviez l'impression de devoir être parfait pour mériter l'amour ?

– Comment pouvez-vous trouver la force d'écouter attentivement et patiemment les récriminations de votre partenaire si personne n'écoutait jamais les vôtres ?

– Comment pouvez-vous pleurer pour soulager votre peine et votre douleur si, enfant, on vous a constamment répété : « Ne pleure pas ! » ou « Les grandes personnes ne font pas ça », ou même « Il n'y a que les bébés qui pleurent » ?

– Comment serez-vous capable d'écouter les récriminations de votre partenaire si, dans votre enfance, on vous a tenu pour responsable des maux de votre mère, bien avant que vous puissiez comprendre que vous n'y étiez pour rien ?

– Comment serez-vous capable de comprendre la colère de votre partenaire si votre père et votre mère soulageaient leur frustration en vous criant dessus, ou en étant excessivement exigeants ?

– Comment pouvez-vous vous ouvrir en toute confiance à votre partenaire si les premières personnes à qui vous avez fait confiance dans la vie vous ont trahi d'une manière ou d'une autre ?

Ces questions ont une réponse commune : il est possible d'apprendre à communiquer avec amour, mais il faut faire les efforts nécessaires. Nous devons compenser dix-huit années de négligence dans notre vie. Peu importe l'attitude qu'avaient nos parents. Personne n'est parfait. Si vous trouvez difficile de communiquer, ce n'est pas un mauvais sort qui vous afflige, et votre partenaire n'y est pour rien. C'est simplement un manque d'entraînement et une absence de climat propice pour s'exercer en toute sécurité.

En lisant les questions ci-dessus, certains sentiments ont pu surgir en vous. Ne ratez pas cette occasion spécifique pour exorciser vos malaises. Consacrez vingt minutes à écrire une lettre de sentiments à l'un de vos parents. Prenez simplement un stylo et du papier et, en vous aidant de cette technique, laissez couler vos sentiments. Faites-en l'essai tout de suite, et vous serez surpris des résultats.

DIRE TOUTE LA VÉRITÉ

Les lettres de sentiments sont efficaces parce qu'elles vous aident à dire toute la vérité. Voici quelques raisons pour lesquelles une exploration partielle de vos sentiments ne suffit pas à guérir votre malaise.

1 – Cela ne vous apportera rien de ne ressentir que de la colère. Ça peut seulement vous fâcher davantage. Plus vous vous attarderez sur votre irritation et plus vous serez perturbé.
2 – Pleurer pendant des heures ne vous aidera jamais à dépasser votre peine, cela ne fera que vous laisser vide et insatisfait.
3 – Si vous ne ressentez que votre peur, vous aurez encore plus peur.
4 – Regretter sans oser explorer davantage vos sentiments ne fait qu'attiser en vous la honte et la culpabilité, et peut même ternir votre amour-propre.
5 – En essayant d'être toujours aimant, on étouffe inévitablement ses émotions négatives, ce qui rend à terme indifférent et apathique.

La technique des lettres de sentiments est un excellent guide pour écrire la vérité sur tous ses sentiments.

Pour parvenir à guérir nos souffrances intérieures, il nous faut pouvoir ressentir chacune des quatre facettes primaires de douleur émotionnelle que sont la colère, la tristesse, la peur (ou l'inquiétude) et le regret.

Des sentiments peuvent en cacher d'autres

Les exemples suivants démontrent comment les hommes et les femmes utilisent leurs émotions négatives pour étouffer, voire supprimer leur véritable souffrance. Il faut se rappeler que ce réflexe est automatique et se produit généralement sans que la personne s'en rende compte. Prenez un instant pour considérer les questions qui suivent.

– Vous arrive-t-il de sourire alors que vous êtes vraiment fâché ?

– Vous est-il arrivé de réagir avec colère alors que vous étiez intérieurement envahi par la peur ?

– Pouvez-vous rire et faire de l'humour alors que vous vous sentez triste et meurtri ?

– Vous êtes-vous jamais empressé de blâmer autrui pour des choses dont vous vous sentiez coupable ou qui vous angoissaient ?

VAINCRE SES SENTIMENTS NÉGATIFS

Il est très difficile de reconnaître et d'accepter les sentiments négatifs d'une autre personne lorsqu'on n'a pas découvert et exploré ses propres émotions négatives. Il devient plus facile de partager nos sentiments et d'accepter ceux de notre partenaire, sans nous sentir blessés, impatients, frustrés ou offensés, dans la mesure où nous avons réussi à régler nos propres problèmes d'enfance.

Si vous opposez beaucoup de résistance à la reconnaissance de vos propres souffrances, vous en ferez autant devant l'expression de la souffrance des autres. Si vous montrez de l'impatience et de l'intolérance en entendant quelqu'un exprimer ses émotions d'enfant, voilà une bonne indication de la façon dont vous vous traitez vous-même.

Pour rétablir la situation, il nous faut jouer le rôle de notre propre parent. Il faut reconnaître qu'il y a en nous une conscience (une personne émotionnelle) qui s'affole, même au moment où notre esprit rationnel nous dit qu'il n'y a pas de quoi s'affoler. Il nous faut isoler cette partie émotive de nous-mêmes et la traiter en parent aimant. Nous devons lui poser des questions comme : « Qu'est-ce qu'il y a, as-tu mal ? », « Qu'est-ce que tu ressens ? », « Qu'est-ce qui t'a bouleversé ? », « Qu'est-ce qui te fâche comme ça ? », « Qu'est-ce qui te fait de la peine ? », « De quoi as-tu peur ? » et « Qu'est-ce que tu veux ? »...

À force d'écouter parler votre cœur avec compassion, vous verrez vos sentiments négatifs s'adoucir et vous pourrez réagir aux situations avec beaucoup plus d'amour et de respect. En comprenant nos sentiments d'enfant, nous permettons automatiquement à des sentiments plus aimants de s'infiltrer dans nos paroles.

Si, enfants, nos émotions avaient régulièrement été entendues et reconnues avec amour, nous ne nous retrouverions pas bloqués par des émotions négatives en tant qu'adultes. Mais, comme la plupart d'entre nous n'ont pas été soutenus de cette façon dans leur enfance, alors nous devons le faire pour nous-mêmes maintenant.

Comment votre passé affecte votre présent

Vous vous êtes sûrement déjà senti étouffé par des émotions négatives. Voici comment certains traumatismes mal digérés de notre enfance peuvent nous affecter à travers nos stress d'adultes.

1 – Lorsqu'une chose nous a ennuyés, nous persistons à nous sentir fâchés et agacés, alors même que notre raisonnement d'adulte nous dit que nous devrions nous calmer.
2 – Lorsqu'une chose nous a déçus, nous persistons à nous sentir tristes et blessés, même quand l'adulte en nous nous dit que nous devrions retrouver le sourire.
3 – Lorsque nous sommes bouleversés, nous sommes envahis de crainte et d'angoisse, en dépit des appels au calme et à la confiance en nous de notre raisonnement d'adulte.
4 – Quand nous nous sentons embarrassés, un mélange de regret et de honte nous paralyse, alors même que la part adulte de notre personnalité nous répète que nous n'avons aucune raison de réagir ainsi.

Étouffer ses sentiments négatifs : une mauvaise solution

En tant qu'adultes, nous tentons de contrôler nos sentiments négatifs en les évitant. Nous avons recours à des substituts tels que l'alcool ou la drogue pour étouffer les messages que nous donnent nos sentiments inexprimés et nos besoins inassouvis. Après un verre de vin, le mal a disparu pour un moment. Mais il faut savoir qu'il reviendra encore et encore.

Paradoxalement, nos efforts pour fuir nos émotions négatives renforcent l'emprise de ces dernières.

En apprenant à écouter puis à prendre soin de nos émotions intérieures, celles-ci finissent par lâcher prise.

Lorsque vous êtes bouleversé, vous n'êtes certainement pas capable de communiquer aussi efficacement que vous le voudriez. À ce moment-là, les problèmes non résolus de votre passé refont surface. C'est comme si l'enfant à qui il n'était jamais permis de faire une crise en faisait une maintenant, et se retrouvait puni une fois de plus.

Nos émotions de jeunesse refoulées ont le pouvoir de nous contrôler en s'emparant de notre conscience d'adulte et en s'opposant à notre capacité de communiquer avec amour. Tant que nous sommes incapables de faire face à ces sentiments apparemment irrationnels venus de notre passé (qui semblent envahir notre vie quand nous avons le plus besoin d'équilibre), ils continueront à bloquer nos communications sur le plan amoureux.

Le secret, pour réussir à extérioriser ces émotions délicates, réside dans la détermination qui nous permet d'exprimer ces sentiments négatifs par écrit, pour que nous devenions conscients de nos sentiments plus positifs. Plus nous serons capables d'inclure l'amour que notre partenaire mérite dans nos communications avec lui, plus notre relation de couple sera solide. En outre, il sera d'autant plus facile pour votre partenaire de vous soutenir que vous saurez lui confier vos émotions avec amour.

La rédaction de lettres de sentiments est un excellent moyen de vous aider vous-même mais, si vous n'en prenez pas immédiatement l'habitude, vous pourrez en oublier l'existence ou l'utilité. Je vous suggère donc de vous asseoir pour écrire une lettre de sentiments au moins une fois par semaine, sitôt que quelque chose vous tracasse.

La lettre de sentiments est non seulement utile quand vous vous sentez perturbé dans vos relations avec votre partenaire, mais aussi quand vous êtes bouleversé pour quelque raison que ce soit. Il est bon également d'écrire une lettre de sentiments quand vous éprouvez du ressentiment, de l'anxiété, de l'inquiétude, de la fatigue, de l'irritation, ou encore quand vous êtes malheureux, déprimé ou tout simplement stressé. Quand vous voulez vous sentir mieux, écrivez-en une. Ça ne changera pas nécessairement votre état d'esprit du tout au tout, mais ça vous remettra sûrement sur la bonne voie.

Dans mon premier livre, *Vous pouvez guérir ce que vous ressentez*, j'ai étudié plus en détail l'importance d'explorer ses sentiments et d'écrire des lettres d'amour. Et dans mes séries d'enregistrements sur cassettes, intitulées *Guérir le cœur*[1], je révèle des techniques de visualisation thérapeutiques et des exercices fondés sur la technique de la lettre de sentiments pour aider à combattre l'anxiété, atténuer le ressentiment, développer la capacité à pardonner, aimer l'enfant qui vit en soi et panser les blessures émotionnelles du passé.

Beaucoup d'autres livres et manuels ont aussi été écrits sur ces sujets par d'autres auteurs. La lecture de

1. Non disponibles en français *(N.d.T.)*.

ces livres pourra vous aider à prendre contact avec vos sentiments intérieurs troublants et les éliminer. Rappelez-vous cependant que, si vous ne laissez pas votre côté émotionnel s'exprimer et se faire entendre, vous ne pouvez le guérir de ses problèmes. Les livres peuvent vous aider à mieux vous aimer, mais en écoutant, en écrivant et en exprimant verbalement tous vos sentiments personnels, vous le faites encore mieux.

Les livres peuvent vous aider à mieux vous aimer, mais écrire ou exprimer verbalement vos sentiments, ou même simplement leur prêter une oreille attentive, constitue déjà un grand pas dans la bonne direction.

En pratiquant la technique de la lettre de sentiments, vous prendrez davantage contact avec la partie de vous-même qui a le plus besoin d'amour. En leur portant attention et en explorant vos émotions, vous aiderez cette partie de vous à grandir et à se développer.

À mesure que votre côté émotionnel recevra l'amour et la compréhension dont il a besoin, vous vous mettrez automatiquement à mieux communiquer. Vous pourrez réagir aux situations de façon plus aimante. Même si nous avons tous été programmés pour cacher nos sentiments comme pour réagir sur la défensive et sans amour, nous avons la capacité de nous reprogrammer, avec toutes les chances d'y réussir.

Pour vous reprogrammer, vous devez prendre connaissance des problèmes que vous avez refoulés par le passé et qui n'ont jamais pu trouver de solution, et les comprendre. C'est une part de vous-même qui a besoin d'être ressentie et comprise pour être guérie.

La rédaction de lettres de sentiments est aussi une

façon sûre d'exprimer des sentiments non assumés, des émotions négatives et des besoins, sans risquer d'être jugé ou rejeté. En écoutant nos sentiments, nous traitons sagement notre côté émotif comme s'il était un petit enfant pleurant dans les bras d'un parent. Et en explorant nos sentiments comme des vérités, sans réticence, nous nous accordons la permission d'avoir ces sentiments. En traitant cet enfant intérieur en nous-mêmes avec amour et respect, nous pouvons progressivement panser les blessures émotionnelles héritées de notre passé.

On reconnaît de plus en plus que la majorité des maladies physiques sont directement liées à des problèmes émotionnels non résolus. Une souffrance émotionnelle refoulée se transforme généralement en souffrance physique et peut même causer une mort prématurée. De plus, la plupart de nos manies, obsessions et dépendances destructrices sont l'expression de nos blessures émotionnelles.

L'obsession habituelle de la réussite chez l'homme est un effort désespéré pour gagner l'amour afin de soulager sa souffrance et son chaos émotionnel. L'obsession habituelle de perfection chez la femme est aussi une tentative désespérée de mériter l'amour et de réduire sa souffrance émotionnelle. Tout excès, de conduite ou de sentiment, peut être un moyen d'engourdir la souffrance découlant d'un passé troublé.

Notre société nous offre une grande variété de distractions pour nous aider à éviter la souffrance. Les lettres de sentiments, elles, vous aident à regarder votre souffrance en face, à la ressentir et à la guérir. Chaque fois que vous écrivez une lettre de sentiments, vous offrez à votre moi intérieur émotionnel et blessé l'amour, la compréhension et l'attention dont il a besoin pour guérir.

Le pouvoir de la solitude

Parfois, en exprimant vos sentiments par écrit dans la solitude, vous pouvez découvrir des niveaux d'émotion qu'il vous serait impossible d'atteindre en présence d'une autre personne. L'intimité de notre propre solitude crée le climat serein qu'il nous faut pour approfondir nos sentiments. Même si vous vivez une relation de couple dans laquelle il vous est possible de parler de tout et de n'importe quoi sans danger, je vous recommande de mettre vos sentiments sur papier de temps en temps, dans une solitude absolue. La rédaction de lettres de sentiments en privé est aussi un exercice sain parce qu'il permet de prendre du temps pour soi, un moment privilégié au cours duquel vous ne dépendez absolument de personne.

Vous pouvez également introduire la formule-guide de la lettre de sentiments dans un fichier-modèle de votre ordinateur. Vous n'aurez qu'à ouvrir ce fichier quand vous en aurez besoin, et quand votre lettre sera écrite vous l'enregistrerez avec la date. Puis, bien sûr, vous l'imprimerez en un ou deux exemplaires, selon que vous désirez juste la relire ou la faire partager à quelqu'un.

Le pouvoir de l'intimité

Écrire des lettres de sentiments en privé a un pouvoir thérapeutique certain, mais cela ne peut pas remplacer notre besoin d'être entendus et compris des autres. En rédigeant une lettre de sentiments on s'adresse de l'amour à soi-même, mais quand on partage sa lettre on reçoit l'amour de l'autre. Pour être davantage capables de nous aimer nous-mêmes, il nous faut aussi recevoir de l'amour. Le partage de la vérité ouvre la porte de l'intimité pour laisser pénétrer notre amour.

Pour nous aimer nous-mêmes,
il nous faut être aimés.

Pour recevoir plus d'amour, nous devons nous entourer de gens avec lesquels nous pouvons partager nos sentiments ouvertement et en toute sécurité. Il est primordial d'avoir dans sa vie certaines personnes à qui l'on peut absolument tout dire, tout raconter. Des personnes en qui vous avez pleine confiance et qui continueront à vous aimer sans risque de vous blesser par leurs critiques, leurs jugements ou leur rejet.

Lorsque vous pouvez dire qui vous êtes, et comment vous vous sentez, alors vous pouvez pleinement recevoir de l'amour. Si vous possédez cet amour, il est plus facile pour vous de montrer des symptômes émotionnels négatifs comme le ressentiment, la colère, la peur et les regrets. Cela ne veut pas dire qu'il vous faut partager tout ce que vous avez découvert et ressenti en privé. Mais si vous avez encore des sentiments que vous avez peur d'exprimer, ces peurs ont besoin d'être graduellement éliminées.

Si vous êtes capable d'exprimer vos sentiments les plus personnels et les plus profonds, un thérapeute ou un ami intime peuvent être d'excellentes sources de soulagement et d'amour ravivé. Si vous ne connaissez pas de thérapeute, alors il peut être très utile qu'un ami lise vos lettres de temps en temps. Rédiger des lettres en privé vous fera du bien mais, ponctuellement, il est essentiel de partager vos lettres de sentiments avec une autre personne qui vous aime bien et qui vous comprend.

Le pouvoir du groupe

Le pouvoir d'un soutien de groupe ne se décrit pas, c'est une chose qui doit être vécue. Un groupe sympathique et chaleureux peut faire des merveilles en nous aidant à entrer plus facilement en contact avec nos émotions profondes. En partageant vos sentiments avec un groupe, vous rencontrez plus de personnes capables de vous transmettre de l'amour. Le potentiel de croissance est multiplié par le nombre des participants. Même si vous ne vous exprimez pas vous-même dans le groupe, en écoutant les autres parler ouvertement et honnêtement de leurs sentiments, votre prise de conscience et votre compréhension se développeront sensiblement.

Lorsque je dirige des séminaires de groupe à travers les États-Unis, je découvre chaque fois en moi-même des parties de plus en plus profondes qui ont besoin d'être entendues et comprises. Dès que quelqu'un se lève et exprime ses sentiments, soudain je me rappelle ou je ressens quelque chose. J'acquiers des connaissances nouvelles et importantes sur moi-même comme sur les autres. Quand arrive la fin de chaque séminaire, je me sens généralement beaucoup plus léger et bien plus aimant.

Prendre le temps d'écouter

Écrire vos pensées et vos sentiments en privé, ou les évoquer en session de thérapie, dans votre couple ou dans un groupe de soutien, est une démarche très importante. En prenant le temps d'écouter vos propres sentiments, vous dites en substance au petit être sensible qui est en vous : « Tu es important pour moi, tu mérites d'être entendu, et je m'intéresse assez à toi pour t'écouter. »

En prêtant l'oreille à vos propres sentiments, vous dites en substance au petit être sensible qui se cache en vous : « Tu comptes à mes yeux, tu mérites d'être entendu, et je m'intéresse assez à toi pour t'écouter. »

J'espère que vous utiliserez cette technique de la lettre de sentiments, parce que j'ai vu comment elle a transformé la vie de milliers de gens, y compris la mienne.

Vous avez peut-être remarqué que votre partenaire était lui aussi victime de certaines de ces brutales sautes d'humeur. Ne vous affolez pas : il est tout à fait fréquent que deux personnes qui s'aiment follement un jour se détestent et se disputent le lendemain, pour mieux se retrouver le surlendemain. Cependant, si nous ne comprenons pas pourquoi ces changements se produisent, nous pouvons penser devenir fous ou, pis encore, en retirer la fallacieuse impression que notre amour est mort. Mais, heureusement, il y a une explication.

L'amour fait ressortir nos sentiments refoulés. Un jour nous nous sentons aimés, et le lendemain nous n'avons plus confiance en l'amour. Les douloureux souvenirs de nos rejets passés refont surface au moment où nous devons mettre toute notre confiance dans l'amour de notre partenaire et l'accepter tel qu'il est.

Quand nous ressentons le plus d'amour, qu'il provienne de nous-mêmes ou des autres, nos sentiments refoulés ont tendance à resurgir et à paralyser temporairement notre capacité à ressentir l'amour. Ils remontent à la surface pour se faire apaiser ou guérir. Et c'est là que nous pouvons subitement devenir irritables, défensifs, critiques, exigeants, indifférents, fâchés ou envahis par l'amertume.

Tout se passe comme si vos émotions refoulées attendaient le moment où vous recevez beaucoup d'amour pour se présenter et guérir. Nous portons tous notre fardeau de problèmes non résolus, de blessures antérieures qui restent cachées jusqu'au jour où nous redevenons amoureux. Puis, au moment où nous nous sentons à nouveau capables d'être nous-mêmes, ces sentiments meurtris refont surface.

Si nous arrivons à gérer ces sentiments, alors nous nous sentons mieux et nous ravivons notre potentiel d'amour et de créativité. Mais si, après une dispute, nous blâmons notre partenaire au lieu de ces intrus du passé, nous nous laissons bouleverser et recommençons à étouffer nos sentiments.

Comment les sentiments refoulés resurgissent

Le problème est que ces sentiments refoulés ne s'identifient pas lorsqu'ils reviennent hanter notre vie. Si les sentiments d'abandon ou de rejet de votre enfance refont surface, alors vous vous sentez abandonné ou rejeté par votre partenaire. La douleur du passé est projetée sur le présent, et des choses anodines font soudain très mal.

Nous refoulons nos sentiments pendant des années. Puis un jour nous tombons amoureux, et l'amour nous procure une impression de sécurité qui nous permet de relâcher notre vigilance et de recommencer à éprouver nos sentiments, même ceux qui étaient endormis. Donc, l'amour nous rend plus réceptifs et plus sensibles à la douleur.

Pourquoi les couples peuvent se disputer même quand tout va bien

Nos émotions du passé remontent soudainement, non seulement lorsque nous sommes amoureux, mais aussi à d'autres moments où nous nous sentons bien, quand nous sommes heureux ou contents. C'est là que, même quand tout semble aller bien, les couples peuvent se disputer sans raison apparente.

Par exemple, les couples peuvent se disputer lorsqu'ils déménagent, au moment de redécorer leur appartement, lors d'une remise de diplôme, lors d'une cérémonie religieuse ou d'un mariage, lorsqu'ils reçoivent ou se font des cadeaux, en vacances ou au cours d'une balade, en fêtant Noël ou le jour de l'an, lors de changements professionnels ou personnels, au moment de choisir un chien ou un chat, après avoir gagné beaucoup d'argent ou après avoir gagné à la loterie ou au casino, au moment d'acheter une voiture ou d'effectuer certaines dépenses, lorsqu'il est question de changer certains défauts ou mauvaises habitudes, ou à propos de leur vie sexuelle...

En ces différentes occasions, l'un ou l'autre des partenaires peut subitement ressentir des émotions, des humeurs ou avoir des réactions inexplicables, avant, durant ou immédiatement après l'événement. Il peut être très instructif de relire la liste ci-dessus – et d'imaginer d'autres occasions s'il le faut – pour essayer de comprendre comment vos parents peuvent avoir été victimes de leurs émotions refoulées à certains moments, et comment vous avez vous-même fait l'expérience de telles confrontations difficiles au cours de vos relations de couple.

LE PRINCIPE DES 90/10

En comprenant comment nos problèmes non résolus du passé refont périodiquement surface, il devient plus facile de saisir comment nous pouvons être blessés par notre partenaire. Il faut savoir que, quand nous sommes bouleversés, à peu près 90 % de notre trouble vient de notre passé et n'a rien à voir avec ce que nous croyons être sa cause. Donc, en général, il n'y a que 10 % de notre trouble qui se rapporte aux circonstances présentes.

Un exemple. Si notre partenaire semble nous critiquer un peu trop, cela peut nous faire de la peine. Cependant, en tant qu'adultes, nous sommes capables de penser qu'il n'a pas voulu nous faire de peine ou qu'il a eu une mauvaise journée, par exemple. Et ce raisonnement fait qu'on n'est pas trop blessés par sa critique. Nous ne la prenons pas comme une offense personnelle. Mais un autre jour cela peut nous faire très mal, parce qu'à ce moment-là nos blessures du passé remontent à la surface et nous rendent plus sensibles aux critiques de notre partenaire. Cela fait plus mal parce que, dans notre enfance, nous avons beaucoup souffert d'être critiqués. Et les critiques de notre partenaire font plus mal parce qu'elles s'ajoutent aux souffrances passées qu'elles ont contribué à réveiller.

Dans notre enfance, nous n'étions pas capables de mesurer notre innocence et la négativité de nos parents. C'est pourquoi nous recevions toute critique, tout reproche et tout rejet comme une attaque personnelle.

Lorsque de telles émotions du passé refont surface, nous interprétons plus facilement les commentaires de notre partenaire comme des critiques, des reproches ou des rejets. Il devient donc très difficile d'avoir des discussions adultes dans ces moments-là. Nos perceptions sont toutes faussées. Lorsque notre partenaire nous semble trop critique, 10 % seulement de notre trouble provient de ces critiques, et les 90 % restants sont la conséquence directe du retour de nos sentiments passés.

Imaginez que quelqu'un vous touche ou vous accroche légèrement le bras en vous croisant. Cela ne vous fait pas mal. Imaginez maintenant que vous avez une blessure ouverte ou une contusion et que quelqu'un vous tâte le bras ou vous bouscule. Là, c'est beaucoup plus douloureux. De la même manière, lorsque les souffrances du passé s'ajoutent aux sensations du présent, nous devenons hypersensibles au moindre toucher ou au plus petit choc subi au cours de nos relations affectives.

Au début d'une relation, nous sommes moins exposés. Il faut du temps pour que nos émotions du passé se manifestent, mais lorsqu'elles le font nos réactions changent inévitablement. Dans la plupart de nos relations affectives, 90 % de ce qui nous bouleverse ne nous dérangerait même pas si nos émotions du passé ne revenaient pas hanter notre présent.

Comment nous soutenir l'un l'autre

Quand le passé d'un homme le rattrape, il file généralement se réfugier dans sa grotte. Dans ces moments-là, il est hypersensible et a besoin de beaucoup de compréhension. Lorsque le passé d'une femme resurgit, c'est son amour de soi qui s'effondre. Elle descend alors la vague de ses émotions et a besoin de beaucoup d'amour et de tendresse.

La connaissance de ces phénomènes peut vous aider à contrôler vos émotions passées lorsqu'elles vous reviennent. Quand votre partenaire vous irrite, avant de lui faire des reproches commencez par noter vos sentiments sur un papier. Votre négativité s'échappera automatiquement et vos souffrances du passé guériront si vous utilisez la méthode de la lettre de sentiments que vous avez apprise dans ce livre. Cela vous aidera à vous ramener dans le présent pour réagir au comportement de votre partenaire avec de la confiance, de la compréhension, de l'acceptation et de la magnanimité.

Vous bénéficierez aussi de la connaissance du principe du 90/10 lorsque votre partenaire réagira trop fortement. Si vous savez qu'il est influencé par son passé, vous pourrez lui manifester plus de compréhension et de soutien.

Lorsque vous sentez que son passé est en train de refaire surface, n'allez surtout pas accuser votre partenaire de réagir exagérément. Cela ne lui fera que plus de mal. Après tout, si vous frappiez quelqu'un à l'endroit où il est blessé, vous ne pourriez sûrement pas l'accuser de réagir trop fort, n'est-ce pas ?

La compréhension de ce phénomène de résurgence de nos émotions du passé peut grandement aider à saisir le comportement de notre partenaire à certains moments. Cela fait partie de son système de guérison émotionnelle. Donnez-lui plutôt du temps pour se calmer et reprendre ses esprits. Si vous trouvez trop difficile de l'écouter exprimer ses sentiments, encouragez-le à écrire une lettre de sentiments avant de parler avec lui de ce qui l'émeut tant.

Une lettre de guérison

Prendre conscience de l'effet du passé sur vos réactions présentes peut vous aider à guérir vos blessures émotionnelles. Si vous êtes fâché avec votre partenaire d'une manière ou d'une autre, écrivez-lui une lettre. Et pendant que vous l'écrivez, demandez-vous en quoi cela peut avoir une relation quelconque avec votre passé. En effet, au fur et à mesure que vous écrivez, des souvenirs peuvent revenir et vous faire découvrir qu'en réalité vous êtes fâché contre votre mère ou votre père, par exemple. Lorsque cela se produit, continuez à écrire mais adressez plutôt votre lettre à celui de vos parents qui est l'objet de votre trouble. Ensuite, écrivez une lettre-réponse très affectueuse, et partagez-la avec votre partenaire.

Il aimera beaucoup cette lettre que vous lui ferez lire. Il est toujours bien agréable de constater que votre partenaire considère que 90 % de son irritation provient de son passé et non de vous. Sans cette compréhension de notre passé, nous avons tendance à reprocher à notre partenaire toute notre irritation, ou du moins il le ressent comme tel.

Pour que votre partenaire devienne plus sensible à vos sentiments, partagez aussi vos blessures du passé avec lui. Là, il va vraiment comprendre vos émotions. Et la lettre de sentiments est un excellent moyen pour ce faire.

ON N'EST JAMAIS BOULEVERSÉ POUR LA RAISON QUE L'ON CROIT

En pratiquant la technique de la lettre de sentiments et en explorant ceux-ci, vous découvrirez qu'en général vous êtes toujours bouleversé par autre chose que ce que vous pensiez. En explorant et en ressentant les raisons plus profondes de notre désagrément, la négativité disparaît peu à peu. Et tout comme nous pouvons être soudainement envahis par des émotions négatives, nous pouvons tout aussi soudainement nous en libérer. Voici quelques exemples.

1 – Un bon matin, en se réveillant, Jim se sentit insupportablement agacé par sa femme. Tout ce qu'elle pouvait faire le dérangeait. En lui écrivant une lettre de sentiments, il découvrit qu'il était en réalité fâché contre sa mère, qui l'avait trop dominé. Aussitôt il écrivit une

courte lettre à celle-ci, en se reportant à l'époque des agissements qu'il lui reprochait. Dès qu'il eut terminé sa lettre, il s'aperçut que son animosité envers sa femme s'était envolée.

2 – Quelques mois après être tombée amoureuse de son futur mari, Lisa se surprit tout à coup à le critiquer sans cesse. En rédigeant une lettre à son intention, elle se rendit compte qu'en réalité elle redoutait de ne pas être assez « bien » pour lui, et qu'il ne se lasse d'elle. Prendre conscience de cette peur profonde lui permit de retrouver toute sa passion pour son mari.

3 – Au lendemain d'une merveilleuse soirée en tête à tête, Bill et Jane se disputèrent amèrement. Tout commença – banalement – quand Jane se fâcha parce que Bill avait oublié de faire une chose. Mais, au lieu de se montrer aussi compréhensif que d'habitude, Bill se mit tout de suite à penser au divorce. Un peu plus tard, alors qu'il écrivait une lettre de sentiments à Jane, il comprit qu'il redoutait surtout d'être seul et abandonné, car cette dispute avait réveillé en lui le souvenir de celles de ses parents et de l'angoisse qu'elles suscitaient en lui quand il était enfant. Il écrivit alors une lettre à ses parents, et se sentit aussitôt soulagé et de nouveau épris de sa femme comme au premier jour.

4 – Tom suait sang et eau pour rendre un projet en temps voulu. Quand il rentra chez lui, il trouva sa femme, Susan, très fâchée et pleine d'amertume à son égard. Même si elle comprenait la situation, elle ne supportait plus que Tom la délaisse ainsi. En lui écrivant une lettre, elle réalisa qu'elle reportait sur lui la rancœur qu'elle vouait à son père pour l'avoir

jadis abandonnée à une mère abusive. Les sentiments d'impuissance et de solitude vécus dans son enfance venaient de resurgir pour être guéris. Susan écrivit aussi à son père et redevint elle-même.

5 – Rachel était folle de Philippe. Mais quand il lui déclara son amour et lui proposa de s'installer chez lui, le doute l'envahit et sa passion parut s'éteindre. En s'appliquant à lui écrire une lettre de sentiments, elle s'aperçut qu'elle était en réalité fâchée contre son père, qui n'avait pas su rendre sa mère heureuse. Dès qu'elle lui eut écrit une lettre, elle se sentit libérée du poids du passé et redevint aussi amoureuse de Philippe qu'auparavant.

Écrire des lettres de sentiments ne fait pas toujours immédiatement resurgir les fantômes du passé, mais en libérant votre esprit de son négativisme et en vous aidant à explorer plus profondément vos émotions vous comprendrez peu à peu combien, aux causes immédiates de votre trouble, s'ajoutent souvent des souvenirs enfouis.

LE RESSENTIMENT

Les problèmes non résolus de votre passé peuvent resurgir quand vous tombez amoureux, mais aussi dès que vous êtes satisfait. Je me rappelle très bien la première fois que cela m'est arrivé, voici bien longtemps. J'avais envie de faire l'amour, mais ma partenaire n'était pas d'humeur à cela. Tant pis. Le lendemain, je lui ai de nouveau fait des avances, en vain. Et ce scénario s'est répété pendant deux semaines. J'avoue que je commençais à en avoir assez. Et comme, en ce temps-là, je ne savais pas encore exprimer mes sentiments de manière constructive, j'ai feint de trouver la situation normale. Je refoulais énergiquement mes émotions véritables et m'efforçais de continuer à me montrer aimant... si bien que j'accumulai des tonnes de ressentiment. Je ne savais plus que faire pour reconquérir mon amie. Je me rappelle même lui avoir offert une ravissante chemise de nuit, dans l'espoir avoué de lui rendre le goût de la bagatelle. Mon cadeau parut lui plaire, mais quand je lui suggérai de l'essayer, elle me dit qu'elle n'était pas dans l'état d'esprit adéquat... Cette fois encore, au lieu de lui parler, je fis taire mes interrogations et résolus d'oublier ma déconvenue en me plongeant à corps perdu dans mon travail.

Un soir, deux semaines plus tard, mon amie m'accueillit à mon retour du bureau vêtue de la fameuse chemise de nuit. Dîner aux chandelles, lumières tamisées, musique douce... l'ambiance était furieusement romantique. J'aurais pu bondir de joie mais, en fait, je fus submergé par un flot de rancœur. Je me disais : « C'est elle qui devrait maintenant souffrir pendant quatre semaines. » Tout le ressentiment accumulé depuis un mois venait de refaire surface d'un seul coup. Heureusement, ce soir-là, nous avons pu discuter, et quand j'ai réalisé combien elle désirait me rendre heureux, je me suis aussitôt senti délivré de toute mon amertume.

Quand le ressentiment empoisonne soudain le couple

J'ai retrouvé ce mode de comportement dans bien des situations. J'ai aussi observé ce phénomène dans ma pratique de consultant. Lorsque l'un des partenaires est prêt à effectuer les changements qui s'imposent, l'autre devient soudainement indifférent et incapable d'apprécier.

Dès que Bill se montrait disposé à offrir à Mary ce qu'elle avait toujours demandé, elle lui opposait une réaction qui semblait dire : « Oublie ça, il est trop tard ! » ou bien : « Et puis après ? »

J'ai maintes fois conseillé des couples mariés depuis plus de vingt ans, dont les enfants étaient devenus adultes et avaient quitté la maison, et dont la femme demandait soudainement le divorce. Dans de tels cas, souvent l'homme se réveille brutalement et se met à vouloir changer ou à chercher de l'aide. Et, au moment où à coups de sacrifices inouïs il commence à apporter les modifications qui s'imposent et à tenter de lui donner l'amour qu'elle attend depuis vingt ans, elle l'accueille avec un froid ressentiment.

C'est comme si elle voulait qu'il souffre pendant vingt ans, comme elle. Mais heureusement ce n'est pas le cas. En poursuivant le dialogue sur leurs sentiments respectifs, l'homme découvre et réalise combien sa femme s'est sentie négligée, et elle se montre progressivement plus réceptive aux changements qu'il a effectués pour lui plaire. Le cas opposé peut aussi se présenter. L'homme veut divorcer et la femme accepte de changer, mais en fait il résiste à ce changement.

CONCLUSION

Des relations harmonieuses

Après avoir étudié ce guide pour améliorer la communication et pour obtenir ce dont vous avez besoin, vous disposez de ce qu'il faut pour vivre des relations de couple harmonieuses. Vous avez toutes les raisons d'être optimiste, car vous êtes bien mieux équipé qu'auparavant pour faire face à toutes les situations de la vie.

J'ai été témoin du bouleversement de milliers de relations de couple, souvent même du jour au lendemain. Ils arrivaient le samedi matin pour suivre un de mes séminaires et le dimanche, à l'heure du déjeuner, ils étaient déjà retombés amoureux. En exploitant les connaissances que vous avez puisées dans ce livre et en vous rappelant que les hommes sont des Martiens et les femmes des Vénusiennes, vous pouvez obtenir les mêmes résultats.

Rappelez-vous que le processus de l'apprentissage comporte non seulement la connaissance et l'application des données ou des règles, mais parfois aussi l'oubli et le réapprentissage. Tout au long de ce livre, vous avez découvert des choses que vos parents ne pouvaient pas vous enseigner parce qu'ils ne les connaissaient pas. Mais maintenant que vous les connaissez, soyez réaliste. Accordez-vous le droit de faire des erreurs. C'est que plusieurs des savoirs que vous venez d'acquérir seront oubliés pendant un certain temps.

Un principe d'éducation veut que pour apprendre quelque chose il faille l'avoir entendu deux cents fois. Il serait donc irréaliste d'exiger de vous-même, ou de votre partenaire, de vous souvenir de toutes les nouvelles notions que avez apprises dans ce livre. Il faut être patient et croire en l'efficacité de la méthode du pas à pas. Il faut du temps pour assimiler ces idées et les appliquer dans votre vie.

Non seulement il faut entendre une chose deux cents fois pour la retenir, mais il peut aussi être nécessaire de désapprendre ce que nous savions pour intégrer cette nouvelle donnée dans notre quotidien. Nous ne sommes pas des enfants innocents essayant d'apprendre à vivre des relations harmonieuses. Nous avons déjà été programmés par nos parents, par la culture dans laquelle nous avons grandi, et par nos propres expériences douloureuses. L'intégration de cette nouvelle philosophie des relations harmonieuses représente un défi de taille pour la plupart d'entre nous. Sachez que vous êtes parmi les pionniers, que vous vous aventurez sur un territoire pratiquement vierge. Attendez-vous à vous égarer de temps en temps. Attendez-vous que votre partenaire s'égare aussi. Utilisez ce guide comme une carte pour vous orienter à travers les embûches de ce terrain inconnu, jour après jour.

La prochaine fois que vous trouverez votre partenaire trop frustrant, rappelez-vous que les hommes viennent de Mars et les femmes de Vénus. Même si vous ne reteniez qu'une seule chose dans ce livre, vous rappeler que les hommes et les femmes sont supposés être différents vous aidera à mieux aimer, et à mieux être aimé. Souvenez-vous qu'en cessant de juger et de blâmer, et en persistant à demander pour obtenir ce dont on a besoin, on peut créer les relations affectives qu'on requiert, qu'on désire et qu'on mérite.

Tous les espoirs vous sont permis. Je vous souhaite de vous épanouir en amour à la lumière de ces nouvelles connaissances. Et je vous remercie de m'avoir permis d'instaurer une différence dans votre vie.

Les ateliers Mars-Vénus

Vous avez aimé ce livre et vous souhaitez mettre ces concepts en pratique ? Il existe des ateliers avec exercices et suivi par petits groupes pour vous y aider.

Ces ateliers ont été créés par John Gray, et les résultats sont extraordinaires. Des milliers de couples de tous âges ont retrouvé, grâce à eux, la joie de vivre ensemble.

Ils ont lieu régulièrement partout en France, en Belgique et en Suisse.

Ce qu'en dit John Gray : « Ces extraordinaires ateliers vous donneront l'occasion d'améliorer de manière permanente vos relations et votre vie. »

Ce qu'en disent des participants :

Michel : « Cet atelier m'a permis de débloquer une situation extrêmement difficile. »

Josh, onze ans : « Depuis que mes parents ont été à l'atelier, ils se disputent beaucoup moins. Cela me fait du bien. J'ai moins peur, je vais mieux. » (*Tiré du reportage « Couple : mode d'emploi », consacré aux ateliers Mars-Vénus dans l'émission Envoyé Spécial, sur France 2.)*

Catherine : « Lorsque nous sommes venus à l'atelier il y a quatre mois, nous étions à l'époque séparés. À la suite de l'atelier, nous avons repris la vie commune. Un grand merci, car c'est grâce à cet atelier que nous avons pu à nouveau communiquer. »

Si vous souhaitez des renseignements sur ces ateliers, contactez :

Pour la Belgique et la Suisse :
Ilyo SPRL
Avenue Coghen, 278
B-1180 Bruxelles
Belgique
Tél. : 00 32 – 475 45 76 65

Pour la France :
Paul Dewandre
340, chemin de la Bastide des Tourelles,
13090 Aix-en-Provence
Tél. : 04 42 59 32 76
www.marsvenus.fr

Table des matières

Direction littéraire
Huguette Maure
assistée de
Maggy Noël

Composition PCA
44400 - Rezé

Impression réalisée sur CAMERON par

BRODARD & TAUPIN

GROUPE CPI

La Flèche

pour le compte des Éditions Michel Lafon
en novembre 2004

Imprimé en France
Dépôt légal : novembre 2004
N° d'impression : 26926
ISBN : 2-7499-0074-3
LAF 582 A